JN012580

操作から会話へ

これからのヒトと機械のインターフェイス

佐藤良治
SATO YOSHIHARU

幻冬舎MC

操作から会話へ

―これからのヒトと機械のインターフェイス―

目　次

序　章

第１章　ヒト生体の情報処理

第２章　言語と文字

第３章　コンピュータ

第４章　操作から会話へ

終　章

序　章

1 概要

本文書の概要

コンピュータは、エリートが脳を拡張する道具だった。そこには、昔ながらの、ヒトが道具としてコンピュータを操作するという関係がある。しかし、今や、スマホという形態で、誰もがコンピュータを利用するように変わった。この利用者の広がりに対応した、ヒトと道具の関係の変化が必要である。

筆者は、高齢者のIT利用をボランティアで支援している。その経験の中で、諸トラブルが、コンピュータの強いる認知負荷と、グラフィカル・インターフェイス（GUI）に起因することを検証した。

また、筆者は、仮名漢字変換を開発する中で、ヒトが手指と目だけでコンピュータに対するのを不自然に思っていた。ヒトは、ほかに耳や口など、素晴らしい生体機能を持っているのにである。そこでヒトの生体機能を詳しく見てみた。そこから新しい関係性とインターフェイスのあり方が示唆された。

認知負荷が小さく、ヒトの生体機能を生かした、新しい関係とは？　それは、ヒトと道具である知的な機械が、会話する関係である。ヒトがしゃべりや身体で意図を表現し、一方の機械も耳・口と目を持ち、ヒトに反応する。カラダ全体を使ったインターフェイスで会話すれば、誰でも生得の能力で自然にICTとインターネットを利用できるようになる。そして、実は、その実現のための技術は、すでにそろっている。ただ、アプリのくみ上げ方のデザインを変えさえすればいいのである。

日本は今、高齢化社会を迎えて、情報格差が課題となっている。情報化で、高齢者などの情報弱者を取り残すべきでない。一方で、社会のあらゆる側面で情報化を進め、効率化することが望まれている。ヒトと知的な機械の関係からは、むしろ爆発的な効果を得られるべきである。本文書が、誰も取り残さずに大きな効果を上げるための提言になれば幸いである。

2 想定読者

本文書の想定読者

本文書は以下の方々を読者として想定しており、一般向けではない。

- これから情報処理を志す若者と、情報処理技術分野で現在活躍しているプロフェッショナル：

  本文書は、今のコンピュータのインターフェイスはおかしいという問題意識に始まっている。この分野を志す若者と、一線で日々問題解決をしている方々に、ぜひ一緒に考えていただきたい。スマート・モビリティ、スマート・ホーム、スマート・シティ、などどれも、ユーザー・インターフェイスの変化なしには実現しない。ユーザー・インターフェイスの変化は、IT業界全体の課題である。
- 高齢者がITを活用するというテーマに取り組んでいる方々：

  この文書では、ユースケースとしてしばしば高齢者のシナリオを取り上げる。現在のコンピュータ・インターフェイスの問題が、認知負荷に耐えられない高齢者で先鋭化している。その解決が、未来を示すと考えるからである。

- 自然言語処理、対話制御、音声認識、音声アプリに取り組んでいる方々、視線追跡やジェスチャー認識に取り組んでいる方々、そしてロボット開発に取り組んでいる方々：
　本文書は、従来の手で操作し目で見るだけのIT機器を、問題視する。そして、音声やジェスチャーの活用、ヒト型ロボットの利用が望ましいことを主張する。本文書はそれら技術コミュニティを応援する。

3 ヒトと道具の調和のために

調和と能力拡大

ヒトはその能力によって道具を発明し、自分ができることを拡大してきた。例えば、

- 文字と紙という道具を発明した。それによって、ヒトは記憶したり伝達したりする能力を拡張した。
- 紙という平面上でペンを操り、３次元の物体の見取り図を表現する。これは、生身の目では見通せない俯瞰的な視覚である。
- 顕微鏡や望遠鏡が、見えるものを増やした。
- 車や飛行機が、ヒトの移動距離を変えた。
- インターネットが、交信する集団の規模を地球レベルへ広げた。

これらはすべて、ヒト能力の拡張である。

紙に文字や図を書くとき、ヒトは器用な手指を操作する。高

性能な眼で指の軌跡を確認し、手指の内部的な感覚とともに動きに修正をかける。そういったことを、瞬時に連続的に繰り返し行っているのだ。ヒトは、その高度な眼の機能と手指の器用さによって、紙やペンという道具を使いこなしている。このとき道具は、ヒトの能力と調和している。

有効な道具はヒトの能力を拡大する。拡大されたヒトの能力によって、道具は一層高度になる。このようにして、道具とヒトの能力の相乗効果は、石器時代の昔からヒト社会を変えてきたのである。

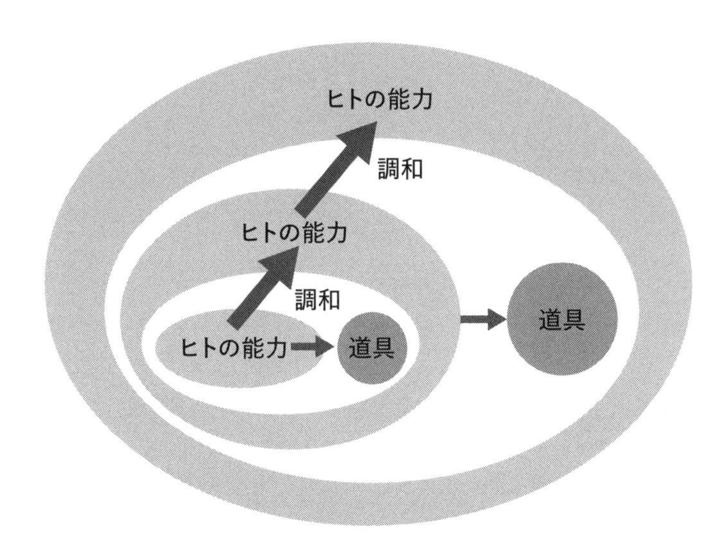

図：ヒトの能力、道具、調和

ロボットを専門とする石黒浩氏は、「遺伝子の進化よりも技術による能力拡張の方がはるかに速い。ロケットに乗って月に行くことはできるが、遺伝子を改良して月に行けるのはいつの日になるか分からない」という［石黒浩，2022］。ヒトは、道具によって生物の歴史さえ超えて歩み始めているのである。

コンピュータはヒトの能力と調和していない

ヒトが日常的にできることは、以下の３つの事柄に分けられよう。

- 生得的能力でできること
- 社会的教育によってできること
- 身体的訓練によってできること

現在のヒトとコンピュータという道具の関係はどうか？

- 例えば、ヒトは、ハサミや箸を見よう見まねで難なく使えるようになる。それに対してコンピュータは、マニュアルを読まないと使えない。つまりその概念体系は、ヒトがほぼ生得的な能力で自然と把握できるものではない。
- 例えば、ヒトは、意識せずに歩くことができる。また、自転車に乗ったり自動車のハンドルを操作するのに、少し訓練すれば後は無意識的に筋肉が動いてくれる。一方コンピュータは、操作する際は常に知的な注意と緊張を強いられる。つまりその操作は、ヒトが身体的訓練で難なく自然とできるようになることでない。

- 例えば、子供から成長するにつれて、ほとんどのヒトは言葉をしゃべり、文字を書くことができるようになる。これは、社会的教育による。一方コンピュータは、誰でも使えるものでない。つまりその扱いは、ヒトが社会的環境の中で自然と身に付けられるような、ヒト文化の一部ではない。

巷にパソコン教室というのがある。またシニア向けにスマホ講習会がある。これらは、現状のコンピュータが、ヒトの日常的な能力で使えるものではないことを証明している。

これらのことから、コンピュータはヒトの能力と調和していないといえる。

本文書では、高齢者を例としてときどき取り上げる。高齢者は、情報処理機器に限らず、新たに何かを習得することを嫌う傾向がある。そういったヒトたちに、この調和していないという問題が先鋭化する。

2011年、老テク研究会という組織が、高齢者が情報機器が使いにくい理由について、以下のように定量調査した［近藤則子，2011］。調査対象は340名である。複数回答であるその理由の上位に、マニュアルのことが並んでいる。今になっても状況は変わっていない。

- 説明書のどこに自分の知りたいことが書いてあるか分からない…151名
- 説明書を読んでも、英語やカタカナが多く言葉の意味がよく分からない…131名

●取り扱い説明書の文字が小さくて読めない…130名

●説明書が分厚くてとても読む気になれない…82名

今の高齢者向けスマホは、壮年向けのデバイスと操作インターフェイスを、後づけで改造して提供されている。その結果、より複雑になり、マニュアルが厚くなった。せっかくタッチで直接操作できて、マウスやキーボードより直観的な操作インターフェイスになったのに。なぜこうなったか、どう克服できるかを、本文書で見ていく。

本文書は、高齢者のためのICTを論じるものではないが、そのような事例を使う。高齢者で現状の問題が先鋭化しているため、分かりやすいので利用する。ディジタルネイティブ世代には、関係ない話だろうか？　壮年の方々であっても、GUI操作でイライラすることがしばしばあるのではないだろうか？　現状の問題は、誰にでもストレスをかけ、実に神経を削っている。スマホのせいで、西暦3000年のヒトは、背骨と首と指が曲がっているようになるという報告がある。ぜひ、「西暦3000年人類」でググってみてくれ。現在の技術のいびつさが見える。

コンピュータの違和感の正体

コンピュータは、ヒトの能力と調和していない。「なんか違う」感がある。

コンピュータは、モノであり、道具である。しかし、コンピュータの処理対象は、ハサミのような道具と異なり、抽象的な情報だ。また、コンピュータの機能は、計算や情報の加工である。日常で見る道具とは、対象も機能もヒトの抽象物である点が異なる。

コンピュータは、ほかの抽象物とも異なる点がある。建築物、都市や、貨幣は、ヒトの抽象物である。これらはヒトの生活や身体と密接に関連している。物理学や化学もヒトの抽象物である。これらは自然の対象と関わる。一方、コンピュータの抽象物、例えばファイルやフォルダーは、ヒトの身体や自然と関わりがない。純粋に抽象的な、神話や数学や文学などに近い。

ところで、これだけ普及したコンピュータが、もともとエリートの知能の拡張のための道具であったことは意外であろう。石器はヒトの手の延長だったが、コンピュータはヒトの脳の延長であった。ヒトがコンピュータに対するとき、その抽象的な構築物を介して操作するという関係にあるのは、その歴史的経緯に根差している。

ところが、コンピュータは、すでにいろいろなモノの中に組み込まれ、社会に浸透している。スマホや自動車、家電、インフラ装置などである。スマホは誰でも使う道具となった。情報を処理するというよりも、情報を流通させる道具となった。災害時の対応や医療連携など、生命を維持するためのライフラインにもなった。

図：コンピュータの利用者と用途

今やどこにでもあるのに、ヒトとの接点は、相変わらず数学のように抽象的で複雑な構築物のままである。つまりコンピュータは、現代の利用者層（ペルソナ）と用途（シナリオ）に合わなくなった。それが違和感の原因である。

操作と会話

ヒトは、日常的にモノである道具を操作し、ヒトとは会話する。ここで、操作と会話という異なる二つの関係性に注目してみる。それぞれ、以降で、操作モデル、会話モデルと呼ぶことにする。

コンピュータはモノ（道具）の一つである。それはヒトの指示に従うだけの存在にすぎない。しかし、コンピュータは複雑な抽象から構成されているため、ヒトの能力とギャップがある。そのため、ヒトが誰でも操作できるものでない。このギャップの部分は従来、ユーザー・インターフェイス（UI）

といわれてきた。

ヒトが道具を操作するのは、単方向の関係である。操作するために、詳細な手順（コマンド）までブレークダウンする必要がある。そこは、ヒトの認知負荷となる。また、操作して反応を見るまではブラックボックスだ。操作と結果の対応も、ヒトが解釈する認知負荷となる。

ここに、逆の関係を隠しもってしまう危険がある。例えば、ヒトの意図と無関係に、広告や不要な通知などに突き動かされる。その場合、向こう側の組織や主体は隠れていて、ヒトを操作しているかのようである。

一方、ヒト同士の会話ではどうか？　ヒト相手に話をすることは、詳細な指示を出す関係ではない。ヒトは、しゃべるという自然な能力で会話する。そして、互いの視線を意識したり、指差ししたり、表情を見合ったりする。つまり、身体を使って会話する。

そして、ヒト同士は、意図を伝え、依頼し、反応をみて、さらに会話する。会話モデルは双方向の関係である。意図から反応までの過程は操作と同じくブラックボックスではあるが、反応が意図に沿ったものかどうかをヒト同士では容易に分かる。

従来、ヒトとコンピュータは操作するという関係だった。また、コンピュータはエリートの知能の拡張のための道具だった。そのため、操作するときに認知負荷があっても、エリートには問題なかったのである。しかし、時代を経て、利用者と用途は広がった。ライフラインという必要不可欠の道具になった。それなのに、ヒトの能力とギャップがあるのは問題である。

一方、会話モデルは、認知負荷がなく生得的な能力でできる。こちらの方が、コンピュータとのインターフェイスとして、よりフィットする。

コンピュータが、これまでの道具と異なる一つの決定的な違いは、ヒトの言葉を受け入れられることである。後に見るように、複雑な言葉を使うことは、ヒトの特性と考えられる。機械が、言葉を理解できるかのようにふるまう。それはそれまでの道具に比べて、質的に決定的な変化だ。機械がヒトのパートナーとして、歩み寄ってきている。この点をもっと利用することで、会話インターフェイスに近づける。

身体性の回復

ヒト同士は、身体を使って意図レベルで会話する。ヒトの意図は、文字テキストよりも、音声発話のほうが自然に表現される。また、注目を示すまなざし、指差し、肯定・否定の首ジェスチャー、手・腕ジェスチャーなども、意図を表現する。意図レベルでやり取りをする際、道具のほうも、ヒトの身体を相手にしなければならなくなる。なぜならヒトの意図は、身体で表現されるからである。

例えば、ものを運ぶロボットからヒトを見てみる。運搬ロボットにとって、ヒトがスマホのモニターとタッチから出した指示で動くだけでいいのだろうか？　運搬ロボットは、ヒトの歩く通路をヒトと共有する。ロボットは、ヒトの動きを観察しながら動かないとぶつかったりなどする。機械道具側から見ても、ヒトの身体を相手にやり取りをして、それで初めて目的を達成できることがある。

そもそも、機械道具はヒトの環境の一部である。それと同時にヒトの能力の延長でもある。つまり、機械道具はヒトと環境の接点に居る。ヒトが機械道具と触れるとき、ヒトはカラダ全体を使い環境と会話するということを忘れてはいけない。

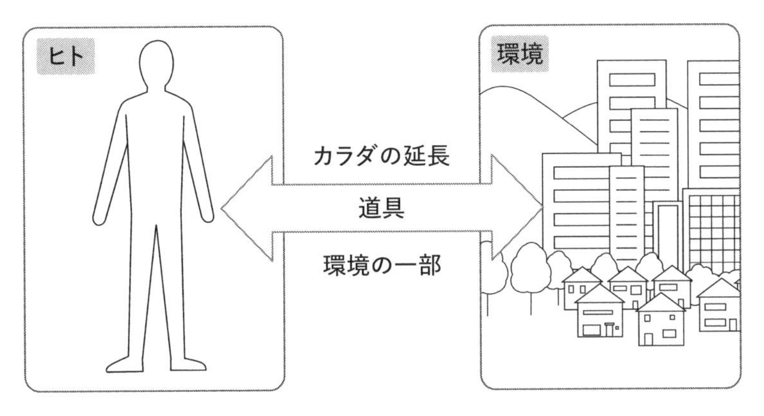

図：カラダと道具

ヒトがコンピュータに合わせるのでなく、コンピュータのほうがヒトに合わせる。ヒトが歩くように、誰でもストレスなく生得的な能力でコンピュータを利用する。ヒトが意図したことに、コンピュータが答える。ヒトの意図を軸にやり取りが回るので、ヒトが道具から操作されるということは起きにくい。そのとき、コンピュータはヒトと調和する。

ヒトのパートナー

コンピュータの創設期に、知能の拡大を目標とした。そこでは、ヒトとは異質なブツというとらえ方がされている。

一方、コンピュータをヒトに似せると、ヒト型ロボットとなる。10万馬力の力持ちで空を飛ぶ少年ロボットやなんでもかなえてくれるネコ型ロボットのような存在である。それらは、ヒトとよく似たパートナーである。パートナーという位置づけのほうが、ヒトはコンピュータと関係を結びやすい。

変化に必要なこと

ヒトがコンピュータを操作するときの、インターフェイスの歪みを克服しようとした考えは、以前からあった。

例えば、石井裕のタンジブル・ビッツである［石井裕, 1997］。彼は、コンピュータ・ネットワークの世界では、モニターとマウス越しでしかインターフェイスしないという、既存の概念に異を唱えた。そして、環境自体をインターフェイスにすることを試みた。形のない“情報”というものを、“環境”という物理的な実体で表現しようとしたのである。

環境を進化させなければ、このインターフェイスの歪みは解決されないのか？　決してそうではない。知的な機械が、人体能力を尊重するように変化すればよいのである。ヒトが元より持ち合わせている豊かな能力を尊重し、活用する。つまりは、ヒト自体をインターフェイスとしてしまえば済むのだ。

また、坂村健やマーク・ワイザーによるユビキュタス（どこにでもある）・コンピューティングという考えもあった。Internet Of Things、モノがインターネットでつながる、ということにつながる考えである。コンピュータがいずれ、いろんな所に埋め込まれて、それらが協調動作する。そうすることで、ヒトはコンピュータを意識しなくても、いろんなことができる社会が実現すると。コンピュータを意識しないことは、インターフェイスがないということであり、それが理想である。

この考えに基づくと、知的な機械がいろんなものに埋め込まれるまで待たなければならないのか？　そうではない。機械を意識しなくてもいいくらい、直観的な会話インターフェイスにすればよい。

ヒト同士の会話を、インターフェイスの理想だとする考えは、昔からあった。人工知能の会話ボットなどである。すると、もっとハイテクを駆使しないと会話モデルにできないのか？　そうではない。

音声認識技術と音声合成技術は、すでにある。無料で誰でも利用できる。言語理解や生成の技術は、深層学習による自然言語処理として、すでにある。巨大言語モデルによって生成された文章や返答はもはやヒトが作ったものと区別できないところまできている。それら技術の特定の問題解決タスクや、特定の語彙空間への応用の広がりがまだないだけである。音声で対話するインターフェイスや、ビジュアルとボイスを融合させたデザインに関しても、経験とノウハウがまだ少ないだけである。ハードウェアとして、画面付きスマート・スピーカーとか、会話AIロボットとか、今ある知的な機械の形態を利用して、アプリを組み上げればよい。

知的な機械を作るヒト、アプリを作るヒトが、すでにある技術をもとに、ちょっと視点を変えてデザインをすればよい。組み上げ方を変えればよい。ハードウェアや新しい技術の進歩や、社会インフラの変化や、それらを待つ必要はない。多くのIT技術者が、現状のインターフェイスはおかしいと、見方を変えればいいのである。その気になればいいのである。

4 本文書の構成

本文書の構成

- 第１章では、ヒトの身体の情報処理機能を概観し、それと接する機械がどうあるべきかの基礎データにする。
- 第２章では、言語と文字について、ユーザー・インターフェイスにかかわる特質を見る。
- 第３章では、従来のコンピュータの問題を分析する。
- 第４章では、ヒトの身体に向き合い、意図レベルでやり取りするようなコンピュータを考える。

序章のまとめ

- 本文書は、コンピュータの利用者の広がりに応じ、誰でもコンピュータを利用できることを目指す。そのため、ヒトがコンピュータを操作するという関係性を、会話する関係性に変えるべきである。また現在のグラフィカル・インターフェイスよりも、ヒトの生体能力を生かした身体込みのインターフェイスになるべきである。

- 道具はヒトの能力に調和したとき、ヒトの能力を拡張する。拡張されたヒトの能力で、道具も進歩する。道具とヒトの能力は相乗効果を持つ。

- 現在のコンピュータは、ヒトが生得的な能力、身体的訓練、社会的教育で、自然と扱えるものではない。その意味で、まだヒトの能力とは調和していない。

- コンピュータは、現代の利用者層と用途に合わなくなっている。

- ヒトが道具を操作するという関係よりも、ヒトがヒトと会話するときの関係のほうが、インターフェイスとして望ましい。

- 機械道具がヒトと触れるとき、ヒトはカラダ全体を使い環境と会話する。コンピュータは、ヒトの身体とやり取りしなければ目的を達成できない。

- コンピュータは、ヒトのパートナーとして位置付けるべきである。

- ヒトが現在のコンピュータを操作するときのインターフェイスの歪みを除き、会話的な関係にするための、ハードや技術はすでにある。今のインターフェイスはおかしいと、見方を変えてデザインをすればよい。

第１章

ヒト生体の情報処理

❶ 概観

ヒトの生体機能を見ていく理由

コンピュータは、エリートの知能の拡張のための道具であった。ヒトは、従来の道具と同じように、コンピュータを操作する。これらの考え方は、誰でもコンピュータを使う時代に合わない。ヒトとの会話をモデルにして、インターフェイスをデザインしたほうが良い。ヒトの意図レベルでやり取りをし、ヒトのカラダの能力をそのまま受け止め、それに反応する。そのために、コンピュータはヒトの生体の能力と特徴を尊重すべきである。むしろ、ヒトの力を引き出す関係であってほしい。

この章では、ヒトが生物として世界に対処するときの生体情報処理（[杉江昇、大西昇, 2001]［福田忠彦, 1995］など）を見ていく。そのために、生物史［クリストファー・ロイド, 2012]、生物発生学［岩堀修明（いわほり　のぶはる), 2011]、脳神経学、認知心理学［箱田裕司（はこだ　ゆうじ)、都築誉史（つづき　たかし)、川畑秀明（かわばた　ひであき)、萩原滋（はぎわら　しげる), 2010］などから参考になる知見を拾い、概観する。

感覚器と作用効果器

生体は情報処理する。ポール・ナースによれば、「あらゆる生命には、自分と子孫を永続させるという目的がある。あらゆる生命の中心には、情報がある。目的のための行動に、情報は利用される」［ポール・ナース, 2021]

生体は、外の世界と、自分の体の内側の世界と、両方から、情報を絶えず集めて利用している。内外の環境の状況を把握するものを受容器官という。それらに応じて外部に働きかけるものを効果器官という。受容器官と効果器官とを連結し統括するのは、脳・神経系である。

受容器官は、特殊感覚と体性感覚とがある。特殊感覚は、特定の刺激に対して特定の場所にある器官が反応する。体性感覚は、身体に分散して存在し環境への反応を助ける。一般的に五感といわれるものは、平衡感覚と固有感覚を除外した、視覚、味覚、嗅覚、聴覚、触覚である。

一方、ヒトの効果器官には、機械系と音響系がある。機械系は、筋肉や骨格からなる手指や身体の機械的運動系である。モーター系とも。また、音響系とは、発声器官である。

- ●受容器官
  - ▶特殊感覚器官
    - 視覚器
    - 味覚器
    - 嗅覚器
    - 平衡・聴覚器（組織的に同居）
  - ▶体性感覚器官
    - 外部から受容する皮膚感覚
    - 筋、腱、関節内で感知する固有感覚
- ●効果器官
  - ▶機械的運動系
  - ▶発声器官

情報媒体

視覚は、光という電磁波を感知する。聴覚は、空気ないし水の振動を感知する。触覚（皮膚感覚）は物理的刺激を感知する。そして味覚と嗅覚は化学的物質を感知する。運動系は、物体上の効果を持つ。音声発生は、空気振動を起こす。

<table>
<tr><td rowspan="6">受容器官</td><td rowspan="4">特殊感覚</td><td>視覚</td><td>光</td></tr>
<tr><td>味覚</td><td>化学的物質</td></tr>
<tr><td>嗅覚</td><td>化学的物質</td></tr>
<tr><td>平衡・聴覚</td><td>重力、空気振動</td></tr>
<tr><td rowspan="2">体性感覚</td><td>皮膚感覚</td><td>物理的</td></tr>
<tr><td>筋、腱、関節内固有感覚</td><td>物理的</td></tr>
<tr><td rowspan="2">効果器官</td><td rowspan="2"></td><td>機械的運動系</td><td>物理的</td></tr>
<tr><td>発声</td><td>空気振動</td></tr>
</table>

表：ヒトの器官と情報媒体

平衡感覚、体性感覚、機械的運動系は、それぞれ密接な関係がある。味覚と嗅覚は、体内で処理された後、場合によっては機械的運動系で反応することになる。空気振動を媒体とする聴覚と発声という音響器官は、密接な関係がある。視覚は、電磁波を感知するという点で独自である。

後で見るように、ヒトで視覚は音響器官と絡むという特徴を持つ。

近接感覚と遠隔感覚

感覚には、どこでも遍在することを感知するものと、遠くからのことを感知するものと、近いことを感知するものとがある。

どんな生物も例外なく重力を感じる。重力は遠近に関係なく遍在する。動物は自分の体の傾きを、平衡器官で感知する。

味覚、接触感覚は、近くのものの感覚である。動物の進化の中で、これらの近接感覚がまずあったと思われる。味覚は、化学物質を感知する。接触感覚は、物理的な圧力を感知する。これらは食べ物を識別し、仲間と生殖・交信するためにあった。また、運動するために、体の状態を感知する体性感覚も必須だった。

一方、生物が行動範囲を広げる際には、より広い環境を感知して、よりうまく生存・生殖したい。嗅覚は遠くからの化学物質を感知する。聴覚は遠くからの水・空気振動を感知する。視覚は遠くからの光電磁波刺激を感知する。

この視覚は、後で見るように、生物の進化・生存競争で決定的な役割を果たした。

受容器官	特殊感覚	視覚	遠隔
		味覚	近接
		嗅覚	遠隔
		平衡、聴覚 （器官的に同居している）	平衡感覚は遍在、 聴覚は遠隔
	体性感覚	皮膚感覚	近接
		筋、腱、関節内固有感覚	近接
効果器官		機械的運動系	近接
		発声	遠隔

表：ヒトの器官と情報属性

通信容量

人間の全受容器から感覚神経を経由して中枢神経系へ伝送さ

れる情報量は、10の９乗ビット/秒といわれる。うち、視覚は、10の６から８乗ビット/秒、聴覚は10の４から６乗ビット/秒、触覚は10の６乗ビット/秒といわれる。一方、中枢神経系から、運動神経を経由して、効果器へ伝送される情報量は、10の７乗ビット/秒といわれる。

また、人間の情報獲得の80%は視覚から、ともいわれる[加藤宏，2017]。ヒトがモニターや画面にべったりとなる所以である。

受容器官			1,000,000,000ビット/秒
	特殊感覚	視覚	100,000,000ビット/秒
		味覚	10,000ビット/秒
		嗅覚	100,000ビット/秒
		聴覚	100,000ビット/秒
	体性感覚	皮膚感覚	1,000,000ビット/秒
		筋、腱、関節内固有感覚	
効果器官			10,000,000ビット/秒
		機械的運動系	
		発声	

表：ヒトの器官と中枢系との間の通信容量

ヒトは環境を認識するのに、圧倒的な割合で、視覚を使っている。また、環境に対する反応の情報量は、感覚よりも桁違いに小さい。ヒトという生物は、環境から多くの情報を仕入れて、生存・繁殖に有効なものを選んで、環境に働きかけている。

感覚、知覚、認知の違い

受容器官に刺激が与えられ脳に伝えられたものを感覚という。熱いとか、音が聞こえるとかである。

感覚に対象の構造や特徴が加えられて意識されたものが、知覚である。長いとか、強いとか。感覚はその一部が知覚となる。意識に上らないことは多い。あるものは、無意識的な反応として行動に現れる。あるものは、エネルギーを節約するために意識を向けられずにフィルターされる。

さらに、知覚が過去の経験や学習に基づいて解釈されたものが認知である。犬であるとか、母であるとか。認知になると、文化や社会の影響が濃厚に出る。社会の文化によって、虫の鳴き声を雑音と感じるか秋の風情と感じるか、が異なってくる。

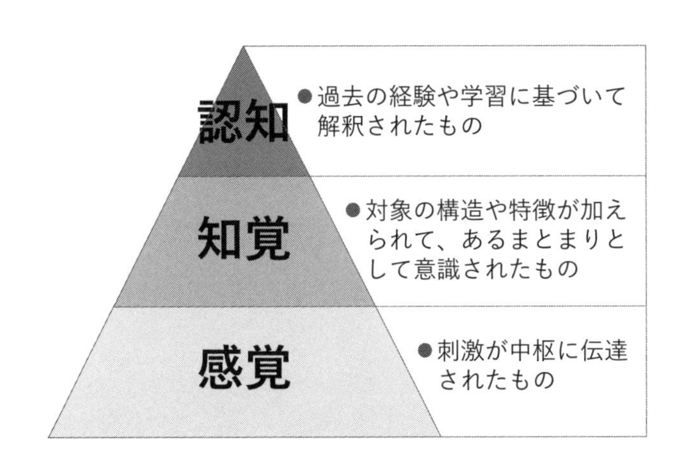

図：感覚、知覚、認知

感覚、知覚、認知は、ヒトが環境から情報を仕入れる、階層的な分類である。感覚神経で刺激を受けてから、中枢神経・脳へ信号が伝わる過程で、階層的な処理が行われる。

一方、反応に関しては、不随意（無意識）的か、随意（意図）的か、の分類がある。こちらは、不随意的な効果の積み上げの上に随意的な効果がある、という階層関係ではない。環境へ反応するには、素早く対処するのとゆっくり反応するのを使い分けている。

2 生体の歴史

生体の歴史

技術にも、小さな流れと大きな流れがある。小さな流れとは、一時的な「流行り廃り（はやりすたり）」である。小さな流れに嵌（はま）ると、今見えているパラダイムの中で、細かい技術論に明け暮れてしまうようになる。

本文書では生体機能から道具を見直す。そのため、議論の参考として、生物の歴史的な経緯をしばしば参照する。それによって、ヒトと道具の関係に関し、大きな流れからの視野を確保する。流行りでなく歴史を見てみよう。

ここに生物の歴史と時間スケールを示す［クリストファー・ロイド，2012］［ユヴァル・ノア・ハラリ，2016］。

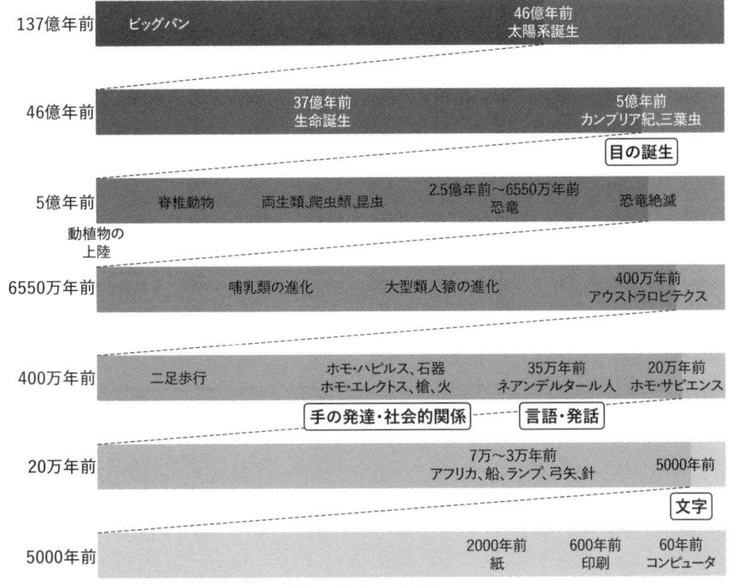

図：生体の歴史

まず、37億年の地球の生物の歴史の中で、一桁小さく近い過去、5億年前にようやく眼が誕生した。まず味覚・嗅覚という化学的感覚や、聴覚・皮膚・体性などの物理的感覚があった。そういうところに、視覚という電磁波の遠隔感覚が突然と登場した。生殖や生存競争への影響が大きかったことが想像できる。

ヒトの視覚は、5億年の年月をかけて進化してきた結果である。視覚はヒトの持つ器官の中でも特に支配的な受容器である。例えば、文字を素早く読み取り、モニターから大量データを瞬時に把握する。

眼が誕生した後の生物史の中で、さらに一桁小さく近い過去、6,000万年前に、恐竜が滅び、地上の生物の主役交代が起きた。そこから哺乳類が栄え、類人猿が出てきた。

そして、さらに一桁小さく近い過去、400万年前に、人類の祖先、アウストラロピテクスが生まれた。そして二足歩行を始めた。それが手を器用にし、社会的関係を発展させ、脳を大きくした。

手は、ヒトにおいて、支配的な効果器である。手の器用さとヒトの知能は、相互に刺激しあって発達した。ヒトの手は、文字言語をはじめ、ヒトのいろんな文化に貢献してきた。ヒトは、ハサミや箸、マウスやキーボードを上手に操る。

さらに一桁小さく近い過去、35万年前に、言語が生まれた。生物が生まれてから四桁小さく近い過去に、概念操作が生まれたのである。それは、当面、音響言語だった。

さらに二桁小さく近い過去、5,000年前に、眼と手の能力を利用し、文字言語が生まれた。文字言語は、ヒト社会の中で、時空を超越する。それが、今日の文化・技術を紡いでいく。そして、それは遺伝子の変化ペースを上回って進んでいるかのようである。

しかし、眼と手と文字言語の影響が大きいがゆえに、音響言語の価値を見失ってはいけない。音響言語は、文字よりも二桁長い期間、ヒトの概念活動の母体であった。そのような音響言語は、その場の表現であり、コンテキストが具体的で豊かである。誰が、誰に、何のため（意図）、何を、が明らかである。そのときの、まなざし、表情、声音、指差しなども、意図を補足するコンテキストとなる。これらは音響言語が持つ、状況性あるいは身体性とでも呼べる。

ヒトは今日、IT機器を操作するために、手と眼を使う。ヒトは今日、主に文字言語をコンピュータに与え、処理する。それらは、歴史的な経緯からして当然である。しかしそこでは、言語本来の、意図の直接表現、状況性や身体性を利用していない。さらに、言語が生まれる前からあった、優れたヒトの身体能力も利用していない。

❸ 受容器官

① 視覚

ヒトは視覚的動物である

ヒトの得る情報の80%は視覚からといわれる。ヒトは視覚的動物である。ここでは視覚の優秀さをいくつかの点からみていく。それが、ヒトが眼と手で道具を扱い進化してきたこと、そして、コンピュータを操作する手段として、まずは眼と手が使われていることの背景を説明する。さらには、ヒトがまだ道具に与えていない眼の機能も見ていく。

視覚の歴史

光という情報媒体は、遠くまで届き高速に伝わる、という特徴を持つ。生物が光を感知できると、遠方まで、敵か味方か、餌を識別できる。生存に有利である。光は高速なので、どこに物があっても瞬時に把握できる。その意味で、ほかの感覚と比べ、距離に左右されない。

視覚が生物進化で決定的な役割を果たしたという物語が、生物史にある。太陽系が46億年前に誕生後、地球史の中に５億年前ごろにカンブリア紀という時代があった（p.31『図：生体の歴史』を参照）。その時代からいきなり化石が出始めたという。英人生物学者のアンドリュー・パーカー（Andrew Parker、1967 ～）は、2003年、「光スイッチ説」を唱えた。カンブリア紀に登場した三葉虫は、眼を進化させた。その結果、食べ、食べられる、食物連鎖関係で優位に立った。それが、淘汰圧として、ほかの生物の多様な進化を促した、と［三谷宏治，2015］。それまでは、化石になるような骨や外殻がない生物しか存在していなかった。視覚の登場が生存競争・選択淘汰を激烈にし、骨や外殻を備えたものなど、多様な生物が生まれたと。

生物の歴史の中で、高度な生物が繁栄する前に、眼が生まれた。生物の身体の原始的な機能の一つといってよい。発生的にも、眼は中枢神経系（脳）の一部である。まず、原始的な生物は明暗識別ができた。ついで、明暗の方向視、形態視、動きの感知、色認識ができるようになった。そして、両眼視による遠近を含む探索・位置同定ができるようになった。

一方で、光あふれた昼間、地表での生存競争を避けた生物があった。光は他のものによって遮られる。また、夜には光がなくなる。地表を避けた生物は、別の感覚を伸ばす必要があった。化学物質である臭いは風や水流に左右されるが、昼夜を問わず、どんな隙間にも入り込む。2.5億年から6,550万年前頃、中生代の恐竜の全盛期、ヒトの先祖である哺乳類は、恐竜から逃げた。哺乳類は、夜に活動し、光のないところで嗅覚を発達させて、生き延びた。魚類、両生類、爬虫類、鳥類は四色視できるが、哺乳類は視覚を二色視に退化させた。

やがて、恐竜がいなくなり、類人猿が森から草原に降りてきた。そのころ、ヒトの先祖である狭鼻猿類は、それまでの赤・青の二色視でなく、赤・青・緑の三色視ができるように視覚を再生させ、優位に立った。そして400万年前、アウストラロピテクスの直立二足歩行へ続く。

このように、生物の歴史の中で、眼は進化に関して決定的な役割をした。生物の進化の中で、視覚の発生は決定的な役割を担った。ヒトの視覚も、長い生物の進化の末の発展形である。

ところで、コンピュータやロボットは、ヒトが選別するという環境で、淘汰されて発展していく。道具が生物の仕組みに倣い、眼を持ち環境から情報を収集するということは、将来から見て決定的なことになっていたとしてもおかしくない。

ヒトの視覚は高性能

ヒトの視覚の高性能の仕組みを見てみる。光刺激を瞬時に処理するため、ヒトの視覚と脳神経伝達系は、情報圧縮と並列処理を活用している。

情報圧縮	脊椎動物の視細胞には、錐体（cone）と杆体（rod）という2種類がある。杆体（rod）は明暗に反応し、錐体は異なる波長の光（色）に反応する。ヒトには錐体が約600万個、杆体が約1億2000万個存在する。一方、視細胞の情報を受け取る視神経は、約100万個である。従って網膜は、光刺激の情報を、約100万割る約1億、1/100ほどに圧縮して脳に送っていることになる［橘木修志，2019］。
	視覚は、光刺激を電気信号へ変換して処理する。刺激が同じならば、神経内で電気信号が発火されない。つまり、同じ映像であるかぎり、刺激としての画像情報は消える。そこで、眼球を不随意に微動させて、注視したときの網膜像を絶えずリフレッシュしている。そして、網膜像の時間的差分だけを脳へ送る［杉江昇、大西昇，2001］。
並列処理	視細胞のレベルでは、中心窩に多い錐体は、色や空間的情報処理を分担している。杆体は明暗情報処理・時間的情報処理を分担している。そして、注目しているところの注目視と、別に周辺視が、独立に機能している。歩きながらスマホを見ることができるのもそのためである。明暗の変化や運動など時間的な変化を伴うものが、素早く、周辺視野で概略が感知される。その後、注意すべきかどうかの判断のために、眼球運動で注目視し、知覚・認知が行われて、対処が判断される［福田忠彦，1995］。
	さらに、視覚情報は、脳神経の中で、複数のルートで処理される。(1) 脳へ情報が送られて眼球運動を制御するのに使われる。(2) パターン認知に使うため脳（大脳皮質第1視覚野、視覚前野）へ送られる。そこで、まずは網膜上の位置に依存した情報抽出を行った後、位置に依存しない空間・形態情報を抽出する。(2-1) 空間知覚処理部（側頭連合野）(2-2) 形態知覚処理部（頭頂連合野）。このように、視細胞から大脳にかけて、階層的な処理が並行して動く［杉江昇、大西昇，2001］。

表：視覚の高性能の仕組み

ヒトの視覚は、認知レベルでも効率化の仕組みを持っている。

ヒトは、複数の解釈が可能な画像の場合、ある特定の解釈をとり、認知資源の省エネを図る。右にルビンの壺という絵がある。これは、図と地の分化という現象を示す。1つのまとまりのある形として認識される部分を「図」、図の周囲にある背景を「地」と呼ぶ。この絵は、両側をまとまりととらえるか、中央部をまとまりととらえるかで、全く異なる物体に見える。	 ルビンの壺
右にカニッツァの三角形という図がある。ヒトは、知覚した情報を処理する際、すでに記憶に持っている認知パターン分類で解釈する。素早く対象を理解するための効率化である。	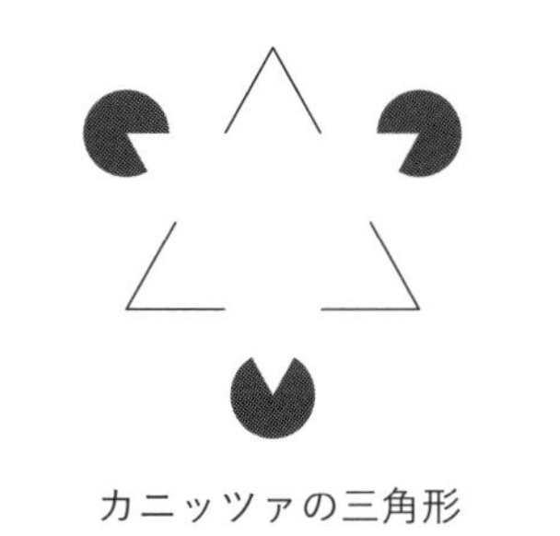 カニッツァの三角形
また、視覚による知覚は、高度な知的処理と相互作用の結果、特定の解釈に決め打ちする。この図は、同じ画像でも、コンテキストによって、Hだったり、Aだったりに見える。これは、文脈効果と呼ばれる。	THE CAT

表：認知レベルの効率化［箱田裕司、都築誉史、川畑秀明、萩原滋，2010］

こういった効率化が、ヒトの視覚の高度な機能の裏で働いている。

視線は素早い

眼球は、直径24mmから25mmの球体である。それは、眼窩（がんか）の中で、脂肪に囲まれて、3対6種類の筋肉で支えられている。そして、上下、左右、視軸回りの回転運動を行う［福田忠彦，1995］。

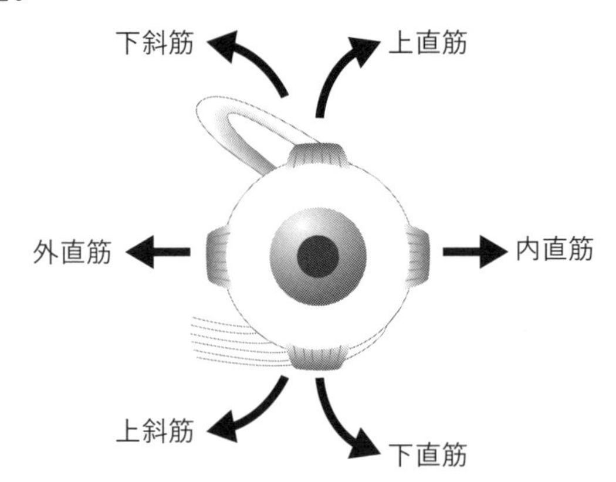

図：眼の筋肉の動き（正面から見た右眼）

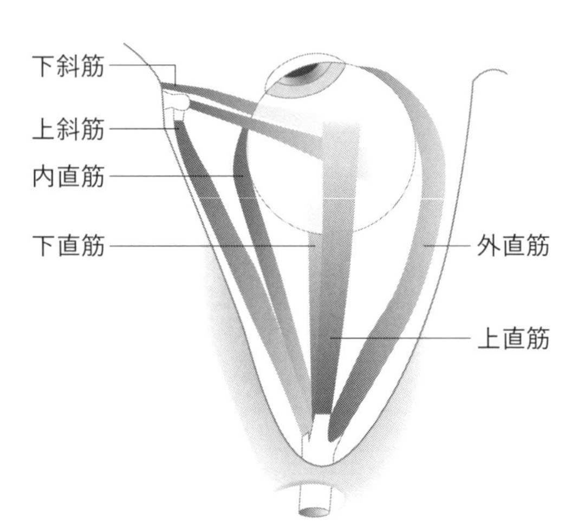

図：真上から見た右眼

［https://www.ocular.net/jiten/jiten005.htmより作成］

眼の筋肉は、何種類かの運動によって、形態視、動体視、立体視、位置同定などの機能をはたしている［杉江昇、大西昇, 2001］［福田忠彦, 1995］。

<table>
<tr><td rowspan="2">中心視をするために，左右の眼が連動して動く連動運動</td><td>移動する対象を追う運動で、両眼は同じ方向へ運動する（共同運動、conjugate）。これには滑らかな成分（最高25から30度/秒）と跳躍性の運動成分（ザッカード、300から600度/秒）がある。視覚は主に空間的情報を感知する。さらに、対象の動きという時間的な情報も感知する。雲は風に流される。遠くから見ればその動きは微々たるものである。しかし、ヒトの眼は、雲が連続的に確実に動いていると感知する。</td></tr>
<tr><td>両眼が逆方向に運動する（輻そう運動、disjunctive,vergence）。これは、左右のわずかに異なった像を融合して一つの像として知覚し、立体視のデータを得るためにある。ヒトは、３次元の世界に住んでいるのである。</td></tr>
<tr><td colspan="2">固視微動。注目視野内の微小な不随意の動きを行い、静止した物体の網膜像が消えないようにしている。</td></tr>
</table>

表：眼球の運動

ヒトは、一瞬で、随意的に中心視野を動かす。ヒトがあるものに注目するとき、それに対する手足の動作を起こす前に、眼はすでにそれを見ている。眼はほかのどの効果器と比較しても、およそ半分の時間で反応する［Karn, 2003］。

これが、後に見ていくが、コンピュータの時代にある誤解を生んでいく。眼を使って、対象選択や位置指定をコンピュータに指示すればいいという考えである。これは、受容器官である眼を、本来の機能ではない効果器として利用するということだ。この考えが、ある時期の視線追跡デバイスメーカーに、支配的であった。視線をそれだけで独立して見るから、速度という物理的な側面にのみ注目してしまったか。視線は、ほかのヒトや物体との関係の中で、注目対象を示すことこそ利用すべき点である。注目された対象が何かは、アプリを組む上で大きな付加情報となる。

素早く文字を読み取る

ヒトの視覚は、神経の高速並列処理と機敏な眼球筋肉のおかげで、言語認知でも高性能を示す。

情報の最小単位をビットという。ヒトの注目視野は、20から30ビットを一度に把握できるといわれる。これはアルファベットなら５文字、ひらがなは４文字、漢字では２文字に相当する［福田忠彦，1995］。

また、ヒトは読み取りの場合、英語では一度に、15文字を読み進むという。先頭の１から７文字で意味を取り、次の８から15文字は周辺視野でみる、あるいは予測する［スーザン・ワインチェンク，2012］。

ヒトは、聞き取りで１分間に160語ほど、読み取りでは１分間に300語ほどを吸収できる。音は時系列なので、聞き取りは逐次処理しないといけない。

視覚は空間的に記憶できる

動物は、餌の場所や住処（すみか）をめぐって行動する。そのために、周囲の空間と自身を関連付けるための空間記憶がある［上村朋子，2018］。耳で聞いたことは、時間の中にあって消え去る。しかし、空間的なものは見て繰り返し確認できる。それが記憶保持を助ける。

例えば、あなたには次のような経験がないだろうか？

- 色分けした表紙のファイルを見て、どのファイルがどの内容のファイルだったか分かる。
- ある事柄が、厚みのある本の中でも、どのあたりのページの、どのあたりに書いてあったか覚えている。
- 机の上に、いくつも書類が乱雑に積み重なって置かれているが、どこに何があるか思い出すことができる。

これらは空間を契機とした連想記憶といえる。

キーボード操作に慣れたヒトは、見なくても操作できる。しかし、キーボードがないところで、キー配列を思い出そうとするとできない。つまり、記憶しているのではない。が、キーボードを見ると、指が覚えていたかのようにすぐに上手にタイプできる。

ここには視覚的な連想記憶が働いている。記憶は、神経細胞の結合パターンとして保持される。何度もキーボードを見て触っていると、神経細胞結合の発火の痕跡が残る。キーボードを見たという刺激だけで、あるキーがこの辺にあったよなという記憶が活性化される。先行刺激が後続刺激への処理影響を与えることを、認知心理学でプライミング効果という［箱田裕司、都築誉史、川畑秀明、萩原滋, 2010］。これを、ドナルド・

ノーマンは「外部知識」と呼んだ［D.A.ノーマン，1988］。

視覚は構造を把握できる

視覚は、いくつかの情報を同時に把握できる。そのためヒトは、複数の要素とそれらの関係からなる「構造」を認知できる。

例えば、一つの画面にやることのTO DOリストがあるとする。１個めと２個めを比べて、どっちを先にやるか考えているとき、眼は２つの項目を認知し、作業記憶の中において比べている。また、例えば、来週の出張の飛行機を予約しているとする。WEBの画面を見て日時と出発時刻を入力し、どの会社のどのフライトにするか選択肢が出て、どれにするか検討しているとする。ヒトの頭の中では、日時と出発時刻とともに飛行機会社のブランド名も一緒に意識している。

ヒトが機械道具と複雑な情報をやり取りする必要があるとき、視覚のこの性質は二つの意味で決定的な役割を果たす。

- 視覚抜きに、機械道具と構造的な情報のやり取りをするのは難しい。これが、音声だけでアプリを組むときの課題となる。
- 逆に、構造を把握できるせいで、視覚向けにデザインされた空間的情報は油断するといくらでも複雑になる。これがグラフィカル・インターフェイスの落とし穴となる。

２次元と３次元

ヒトは、３次元の住民である。日常の生活空間は、その豊かさを備えている。

立体視の仕組みには、単眼視によるものと両眼視によるものとがある。

単眼視 ［箱田裕司、 都築誉史、 川畑秀明、 萩原滋、 2010］	●物体の重なりから前後を見て取る。 ●大きさから距離を感じる。 ●平行線は遠ざかるほど幅が狭くなる。 ●一定の模様は、遠いほどきめが細かくなる。 ●遠くの景色ほど、ぼやけたりかすんだりして見える。
両眼視	両眼網膜視差をもとに、脳内で3次元イメージを構築する。その3次元の世界は、自分の位置を変えれば、同じものでも、刻々と異なって見えてくる。異なった3次元の外見のものを同一の物体だとみなす。

表：立体視のしくみ

ヒトは、3次元物体を紙という2次元空間で表現する。2次元のほうが、認知に要するエネルギーは小さい。そして、紙を持ち歩いたり、別のところで3次元を再現したりする。絵画、漫画、浮世絵などとして、仲間に感情や心を伝えたりもする。ヒトは、表現を縮退して、逆に高度な精神活動をしている。

現在のコンピュータでも、ヒトは、画面という2次元空間で世界を眺める。それで高度な精神活動を行うことができる。ところが3次元世界にあった豊かさを生かしていない。例えば、3次元世界には、モノやヒトの間に位置関係や遠近などがある。これらは、アプリのコンテキスト制約として利用できるのに。

しるし

ヒトは言語を駆使する。言語は、感覚を指したり、実在物を指したり、固有名詞を使ったり、環境を自在に利用できる。言語は構文構成で言葉を自在に組み合わせられる。

一方、ヒトはそれ以前から、視覚的な形状でほかの何かを意味することも行ってきた。ジェスチャー、地面に書いた絵、壁画、象形文字、表意文字、アイコン、ピクトグラムなどの「しるし」である。空間的な印は、指差しで特定の存在を指し、空間的配置でモノの組み合わせを示すことはできる。しかし、言語に比べて表現力が限定され間接的である。

コンピュータのグラフィカル・インターフェイスに、アイコンがある。この視覚的なしるしの表現力も、当然、間接的・限定的である。しかし、多用されており、もはや乱用とさえいえる。

表情認知は特殊

ヒトにとって他のヒトの表情を認知することは、ほかの物体の認知と異なる特殊処理である。

サッチャー錯視と呼ばれる現象がある。顔のパーツを上下逆さにして貼り付けた写真がある。顔の写真を上下逆さにして見ると、細部の不自然さに気づかない。しかし、正常な上下で見ると不自然さに気づき、不気味さを感じる。つまりヒトは、概要だけでなく細部まで把握して誰それと認知している。

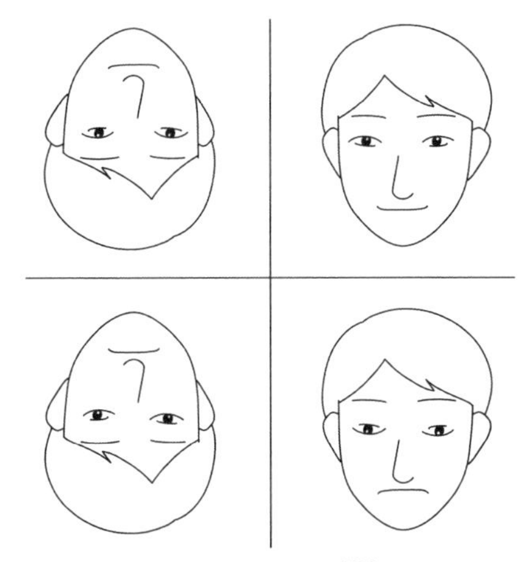

図：サッチャー錯視

ヒトの表情には、文化にかかわらず、６つの基本感情パターン（怒り・嫌悪・恐怖・喜び・悲しみ・驚き）があるという（エクマンの説）[箱田裕司、都築誉史、川畑秀明、萩原滋, 2010]。そして、ヒトの表情に反応する特殊な脳神経部位があることが知られている。

ベネチアのカーニバルでは、仮面をつけて着飾ったヒトが練り歩く。その仮面は美しくもあり、個性がないからか不気味でもある。中国にも、バリ島など太平洋の島々にも、日本にも、仮面をつけたり濃厚な化粧をしたりして演舞することがある。それらは特定の感情を誇張している。顔や表情に敏感に反応するヒトの神経を刺激して、大きな効果をあげている。

ヒト型ロボットは、ヒトの身体と頭部と顔を模倣する。武骨なコンピュータの箱と異なり、ヒト型ロボットなら、感情的で埋没型の新しいタイプのつながりを持ち得るかもしれない。

② 聴覚

聴覚の能力

ヒトの聴覚は、空気の振動を感知する遠隔感覚である。空気の振動は、距離によって、また障害物があると、減衰しやすい。そして、視覚がおおむね空間情報を処理するのに対し、聴覚はおおむね時間的情報を処理する。会話の話し声、赤ちゃんの泣き声、音楽のリズムやメロディ、風の音、雨の音、雷鳴、鳥の鳴き声、虫の鳴き声、カエルの鳴き声など、すべて時間の流れの中に存在し、消えやすい。

ヒトの聴覚受容細胞の数は23,500個、聴神経は3万本である[樋渡涓二（ひわたり　けんじ），1997]。視細胞は1億以上で、視神経は100万本なので、視覚に比べて桁違いで小規模である。

視覚優位で、脳で総合してから判断されるので、聴覚（時間情報）は、視覚（空間情報）に引きずられもする。gaを発音する唇を見せて、同時にbaという音声を聞かせると、被験者は中間の調音位置をもった「da」を知覚する。これをMcGurk効果という［杉江昇、大西昇，2001]。

聴覚は、精度は視覚より低いが、両耳により距離と方向を感知する音源定位ができる。ヒトは空間情報を求める。足音だけが聞こえれば、どこから聞こえるのか、突き止めずにはいられない。雷鳴があれば、遠いか近いか気になる。

このように、音はもろく聞く力は弱いのだが、ヒトでは音響的言語が大きな役割を果たした。多様な発声ができるようになり、それで言語を生み出した。後で見るように、耳で聞く言語によって、虚構を操り社会を形成しヒトがヒトとなった。ところが、コンピュータのインターフェイスでは、眼の力に押され、音響的言語を活用してこなかった。

聴覚は発話と連動する

聴覚に障害のあるヒトは、発話障害を伴うことが多い。眼から得た情報に基づいて、手指が動く。同じように、ヒトは自分の音声を聞きながら、発話のための調音器官を動かす［杉江昇、大西昇，2001］。聴覚は、発声器官とともにヒト言語の条件である。

聴覚認知は構造保持が苦手

視覚は、空間記憶ができ、構造の把握ができる。一方聴覚は、それらが苦手である。

音響的言語は、時系列情報である。短期記憶に入っても、視覚のようには繰り返し再確認することができない。そして、音声は消え去る。そのため、ヒトは聴覚から少ない量しか情報を把握できないし、複数の情報を安定的に保持できない。音響的言語は、文字という空間的言語と相補う必然性が出てくる。また、音声をアプリで使うときに、インターフェイスで考慮しなければならない点である。

③ 嗅覚

ヒトは嗅覚を退化させた

嗅覚は、揮発性ないし水溶性の化学物質を感知する。味覚は、同じ化学物質でも接触感覚である。嗅覚のほうは、分子の組み合わせレベルの微細な感覚である。嗅覚が発達した動物では、識別できる刺激の種類は膨大になる。犬は、散歩途中の道端の叢（くさむら）、車で通る街角、ヒトの手足、なんでも嗅ぎまわる。

ヒトの嗅覚受容体数（種類数）は396個あり、実はそれらの組み合わせで10万種類のにおいを感知できるという。遺伝子レベルで見ると、哺乳類の嗅覚に関係する遺伝子は大きなファミリーをなしている。動物にとって、嗅覚は環境探知の重要な手段であった。ヒトでは、匂いで昔を思い出すということがよくいわれる。匂いの刺激は感情や記憶をつかさどる脳部分に流れ、即座に反応できるようにしていた、という時代の名残らしい［東原和成（とうはら　かずしげ）］。

従来のコンピュータに、嗅覚は無関係だった。一方、アロマセラピーなど、匂いでヒトの神経や身体に作用するという術がある。将来、状況に応じて、匂い成分を配給する機械というのもありうるな。

④ 体性感覚

内外を感知する

体性感覚器は、外部を感知する触覚などと、内部の固有の情報を感知するものに大別される。ヒトに限らず、生物の生存にとって必須な基本的感覚である。

- 外部を感知するものは皮膚感覚である。ヒトの場合、皮膚は約1.8平方メートルもあり、皮膚感覚の受容器はそこに散在している。皮膚の表面には触覚があり、皮膚の深部には圧力を感じる圧覚がある。その他に、温覚、冷覚、痛覚の受容器がある［岩堀修明, 2011］。

- 一方、筋、腱、関節などに、自分の状態を感知する固有受容器がある。筋がどれだけ伸びているか、どれだけの力で引っ張られているか、角度はどうか、などを感知している。これは姿勢を制御したり体を動かすためにある［岩堀修明, 2011］。

これらは、ヒトが今のコンピュータを操作するときには、隠れている。しかし、実は、手指を操作する支えやセンサーとして、黒子のような役割を果たしている。コンピュータの操作インターフェイスは、この身体機能に対し無関心できた。しかし、ヒトと機械が身体でやり取りをするとき、そのすごい能力は表面化する。

指先は鋭い

皮膚感覚受容器は10の７乗個あり、神経は10の６乗個ある。指先には１平方ミリメートル当たりに１個の神経線維が脳に接続しているという。指先は、２ミリメートル離れた点を弁別できるという［下条誠, 2002］。このような指の神経の細かさが、ヒトが箸やハサミを上手に扱う基礎となっている。

4 効果器官

① 手、骨、筋

第2の脳

5億年以前に眼は脳の一部として発生した。手は、400万年前に類人猿が直立歩行を始めたことで、第2の脳ともいわれる役割を果たしていく。

ヒトは眼と手で道具を操作する。現在のコンピュータはその延長にある。だが、コンピュータはまだ手の器用さを十分に生かしていない。

手と脳の進化の相乗効果

手、骨、筋という効果器官は、内部状態を感知しつつ、機械動作する。手には優れた皮膚感覚がある。一方、視覚は手の動き周辺を観察し、手指の動作を助ける。手の重要な役割は、人類史から見ると理解できる（p.31『図：生体の歴史』を参照）。

約6,550万年前に恐竜が絶滅した後、約400万年前にアウストラロピテクスが誕生した。320万年ほど前、ルーシーと呼ばれる類人猿がいた。脳の大きさは、チンパンジーと変わらなかった。が、骨盤の形から二足歩行していたことが分かった。二足歩行は、四足歩行に比べて25%のエネルギーで移動できた。

その後、240万年ほど前に、ホモ・ハピルスが登場した。ハピルスは、肉を骨からそぎ落とす鋭利な石器を作り利用していた。ハピルスの脳は、ルーシーの倍（だが、ホモ・サピエンスの半分）に大きくなっていた。道具を作るには、眼と手を正確に連動させる必要がある。それが脳に刺激となり、脳の発達を促した。

大きな脳はたくさんのエネルギーを必要とする。たくさん食べる必要があり、狩猟肉を食べた。肉をたくさん得るには、より高度な道具が必要である。こうして、手と脳の進化の相乗効果の連鎖が始まった。脳は次第に大きくなり、手指はますます器用になり、道具はどんどん精緻になった。

200万年前ごろ、ホモ・ハビルスは、ホモ・エレクトスへ進化した。脳の大きさは、ハビルスの1.5倍となった。エレクトスは、槍を使い、火で食物を消化しやすいように変えられた。エレクトスは、100人くらいの集団で暮らしていたとされる。

35万年ほど前、ホモ・サピエンスと同じくらいの脳を持つネアンデルタール人が現れた。頭蓋骨の底には発声に必要な神経の束を通す穴があり、多様な発声ができたと想定されている。また、ネアンデルタール人は、音楽、宗教、言語を持っていた。その後、19万5000年前ごろに、ホモ・サピエンスが登場した。ホモ・サピエンスは、7万年前から5万年前にアフリカから出て世界中へ広がった。

手指は器用

ヒトの手指は、後で見るように、神経が行き届いている。器用である。また、ここでご自分の手指の構造を観察されたい。ヒトの手には5本の指があり、指は3つの関節で動く。そして、親指は、ほかの指と独立してほかの指と対面して動作し、物をつかんだりできる。この対面動作が、ヒトの手指の特徴である。

米満弘之によると、手指ができる運動は、以下のように分類できる［米満弘之，1973］。

- 握る（grip）
- つまむ（pinch）：指先（tip）、指腹（pulp）、
  側面（lateral）、ひっかけ（hook）、指間はさみ（finger）
- ねじる（twist）
- 押す（push）
- すくう（scoop）

ヒトは、これらを組み合わせて日常生活を送っている。ボールペンを使って字を書いたり、ものをつまんで食べたり、箸を使ったり、ハサミで紙を切ったり、ハンマーでたたいたり、卵を割ったり、リンゴの皮を包丁でむいたり、タオルを畳んだり、本の１ページをつまんでめくったり、コップに水を入れたり、湯呑で飲んだり、汁をよそったり、お椀を持ったり、包丁で大根を切ったり、ワインの栓を抜いたり、瓶の蓋をねじり取ったり、蛇口をひねったり……。なんと無数の仕事をこなせる優れものであることか！

これら動作の種類の豊かさに比べ、ヒトがコンピュータを操作する際は、「押す」（クリック、キータイプ、タップなど）と、その変形の「こすり」（マウスホイールのスクロール、スワイプなど）しか使っていない。つまり、現在のコンピュータ・インターフェイスは、ヒト生体の能力のごく一部しか利用していない。

指差し行動

指は、赤ちゃんも利用する、基本的なコミュニケーション手段である。

- 幼児は、まだ言葉になっていない喃語（なんご）をしゃべる時期に、一人指差しが見られる。一人指差しでは、自分の興味ある対象を、自分以外の対象として意識している。
- その後、1語文をしゃべり始める時期には、他者を意識した伝達的指差しを行うという。伝達的指差しでは、対象と他者と自己という三者の関係が認知されている。また、他者と興味を共有するという社会的な関係を持っていることを示す［宮津寿美香，2018］。

赤ちゃんだけでなく、ペットの犬も、ヒトの指差しの意味を理解する。一方、指差しを行って対象と他者と自己という三者の関係をコミュニケートするのは、霊長類にはなくヒトの特徴だそうである［米満弘之，1973］。

従来のコンピュータは、この原初的なコミュニケーション手段に対しても、無関心だった。

身体と視覚が手指の器用さを支えている

手は、体幹がある姿勢をとり肩や腕が支えて、初めて器用に動く。指は、腕・肘・手首が動き支えることで、初めて器用に動く。これら身体の体性感覚と機械的動作系が、手指の器用さを支えている。

例えば庭師が高木の剪定をする。梯子にのぼり、自分の体の重心を感じながら安定姿勢をとる。剪定ばさみを取り出し、バランスを取りながら手腕を伸ばす。枝葉を切る。手を伸ばして、切られた枝葉を地面へ払い落す。このとき、庭師は、この木と地球の重力とカラダ全体で対話しつつ、手指を操作している。

また、手指は、眼にも支えられている。

例えば、ドアノブの位置を見ながら、そこをつかんでドアを開く。そして開いたドアを見る。また、左手に持った茶碗の位置を見つつ、右手の箸を動かし、ご飯を食べる。また、キーボードのキートップの文字を見て、手指でたたく。そして、テキストエディター上にAが入力されるのを見る。

手指は、ヒトのある意図に沿って動作している。そのとき、視覚的情報ないしヒトの環境が、その動作の意図と効果に意味を与えているといえる。このことは、どんなアプリも視覚や環境による手掛かりを利用できるという点を示唆する。

手指は移動距離に束縛される

手指は器用だが、欠点もある。

手指は機械動作なので、移動距離の束縛を受ける。手を動かし、マウスで別の場所のターゲットに移すという運動負荷に関し、その移動時間は、移動距離が大きいほど大きく、対象の大きさが大きいほど小さくなる。これをフィッツの法則という。

例えば、デスクトップパソコンで、メールの受信箱を眺め、いらないものを削除する。読む場所を設定する画面上のポインター位置と削除ボタンは、離れている。そのため、削除するのに、マウスだけでやるとポインターを移動することに時間がかかる。手指だけに頼ると、このように距離の束縛を受ける。

② 発声

発声言語

5億年前に、眼は脳の一部として発生した。手は、320万年前頃にルーシーたちが直立二足歩行したことで、第2の脳ともいわれる役割を果たした。類人猿は、社会的関係を豊かにした。そして、20～30万年前に言語を生み出した。発声器官は、言語を生み出した点で、ヒトの発生の条件といえる。

コンピュータは、最近までほかの道具と同じように、手と眼とで操作された。音声は、インターフェイスとして利用され始めたばかりである。しかし、ヒトの歴史から見ると、ヒトと道具の間の存在としてもっと大きな役割にふさわしい。

発声器官の進化

ヒトの音声産出は、以下の3つの過程からなる［香田啓貴（こうだ　ひろき），2015］。

1. 横隔膜・肺という呼吸器官から空気を吐き出す
2. 咽頭・声帯で音源を作る
3. 舌・咽頭・口唇で音に変化を与える

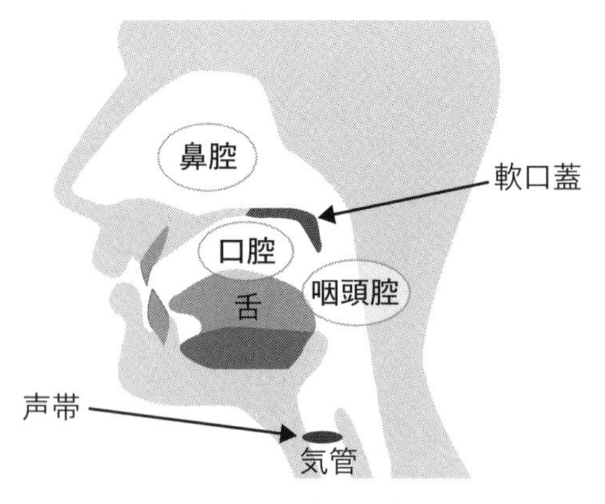

図：３つの主な共鳴腔

［https://band-knowledge.com/vocal-14/より作成］

５億年前ごろに動植物が陸に上がり、脊椎動物が肺呼吸を始めた（p.31『図：生体の歴史』を参照）。空気の振動を起こす能力が、生殖や警告発信などに利用された。舌は、食べ物を飲み込むときに、精緻に素早く動くように進化した。咽頭を含む声道は、食べ物の摂取・嚥下を不随意的に担った。ヒトでは、これらの器官が、随意的に話し言葉を発声する役割も兼ねる。

ヒトは直立歩行を始めたのち、火を使うことで柔らかい食事をとるようになった。そして、頭の重量のバランスをとるため頭の前後径が短くなった。柔らかい食事による顎の縮小とあいまって、脳が前にせり出した。その結果、舌は前後に圧縮されて上下に厚みを持ち、丸い形状になった。ヒトの舌は丸みがかっていて、形状変化で多様な音調整が可能である。

他方、類人猿で咽頭の位置は下がり始めた。ヒトに至っては、喉に大きな空間をつくり多様な共鳴を生み出せるようになった。ヒトの声道は、口腔と咽頭腔という二つの共鳴腔がほぼ垂直に結合していて、それぞれ独立に変形させることができる。2共鳴管構造といわれる。ヒトは、発話の際、口を1秒間に5～6回開閉でき［香田啓貴，2020］、一回息を吐くという瞬間で声道形状を連続的に素早く変形させることができる［西村剛，2010］。

ネアンデルタール人の舌骨は、ヒトと同様の形態をしていたので、ホモ・サピエンスと同様の発話が可能だったといわれる。ヒトの発生に、この社会的な道具である音響言語が、決定的な役割を果たした。

ヒトの条件

後で示すように、発声器官や言語に対応する脳部位は大きな部分を占めている。

また、ヒトの脳は後天的に形成される部分が大きい。ヒトは成長に伴って、言語を習得し多様な音声生産ができるようになる。この音声生産の可塑性ないし学習という点も、ヒトの特徴である［香田啓貴，2015］。

言語は単一ではなく、コミュニティごとに多数ある。言語は、特定の社会の中でコミュニケーションするために生まれた。脳・神経系に言語を操る基礎が遺伝的に備わっていたとしても、後天的に獲得された言語が、翻訳などで互いに通じ合うこと自体、不思議である。

機械が言語を操るとしたら、ヒトと機械はこれまでと異なる関係を結びうる。

発声のテキスト生産速度は指の5倍

ヒトの言語表現のスピードは、おおよそ、しゃべりなら約150語/分、手書きは約10語/分、タイプなら約30語/分である。しゃべりは、社会的な環境で育った健常者ならば誰でもできる。一方、手書きは教育が必要であり、キータイプなら機器操作に慣れが必要である。音声での言語表現は、習熟の必要がないばかりか、指よりも5倍速い。

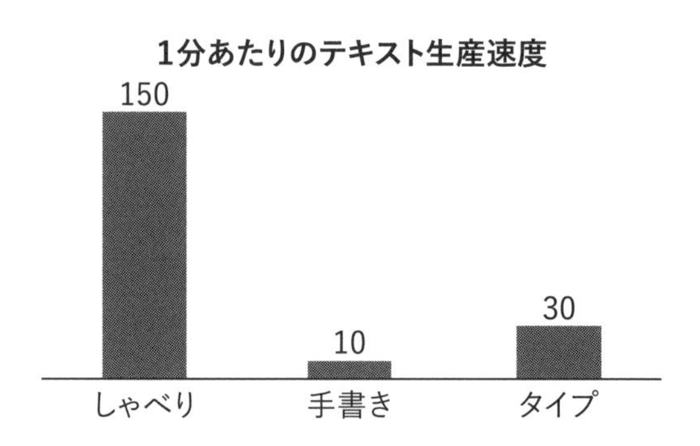

図：テキスト生産速度

コンピュータ・インターフェイスに、これを利用しないという手はないだろう。

声には表情がある

声は感情を表す。犬や馬でも、ヒトの声の表情を読むという［鮫島和行, 2019］。意図や情緒を伝える声音（こわね）が、表現の一部を担う。将来、ヒトと環境を仲介する機械道具も、ヒトの感情を理解してほしい。

③ 視線

社会と個体意識

ヒトは、視覚的動物である。眼は、効果器官ではない。しかし、その見る作用はある重要な役割を果たすので、ここで特に取り上げる。

他個体の心を推察し、ひいては自己意識を持つことを、心理学や脳科学では「心の理論」を持っているという。ヒトは、視覚によって、他個体の表情を特殊に認知・識別していた。視線は、ヒトの社会性の形成に重要な役割を果たしている［鮫島和行，2019］。

1. 他者認知：まず、赤ちゃんが母を認知することを始まりとして、個体同士は互いに相手を認める。それは、他個体が何を見ているかを認知することにつながる。他個体が何に注目しているかを認知することは、他個体が何か心のような主体性を持っていることを想像していることである。
2. 共同認知：そして、あることに一緒に注目をすることを認知する。これが、個体間のつながり、社会の始まりである。
3. 自己認知：社会が認識され、他個体が認知されたら、その中にいる存在も想像できる。これが自己意識である。自我というのは、他者から見られた存在である。

他者、社会、自己の認知があって、個体間の会話が生まれる。こうして、自他の関係の中で、言語が生まれる。

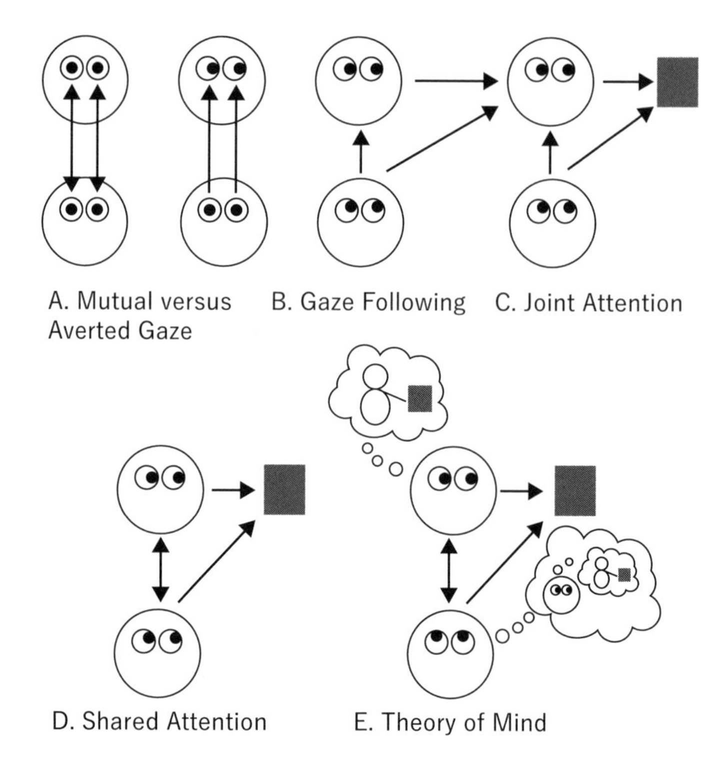

図：視線、社会、自己

［鮫島和行，2019］

このように、視線はヒトの社会性と自己意識の基礎となった。しかし、ヒトと環境をつなぐ道具は、実質、これまで視線を利用することはできなかった。

5 脳・神経系

脳・神経系

脳・神経系は複雑で未知のことが多い。しかし、解剖学・病理学、認知心理学などから、間接的な知見がいろいろ得られている。中には、ヒトと道具の関係に示唆を与える知見もある。

脳の構成要素

脳は、大脳、小脳、脳幹からなる。

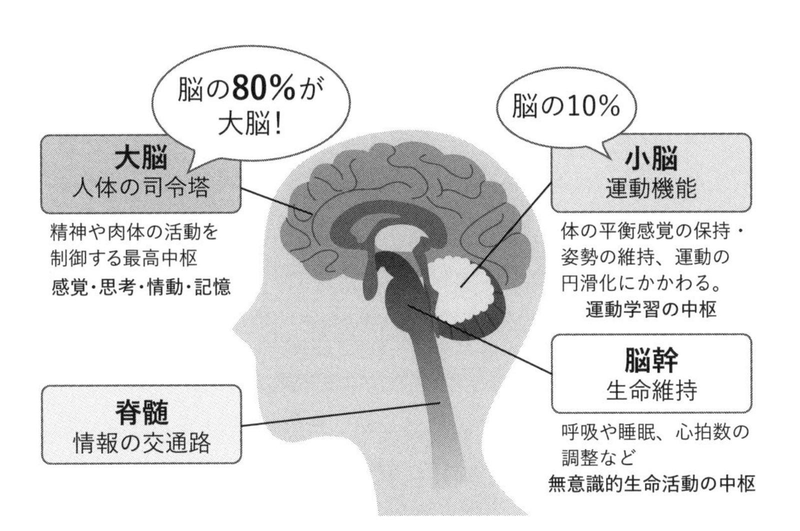

図：脳の構成要素

［https://atamanavi.jp/169/より作成］

<table>
<tr><td rowspan="4">大脳</td><td colspan="2">大脳は、高度な機能をこなす。大脳には、皮質、辺縁系、基底核がある。</td></tr>
<tr><td>皮質</td><td>大脳皮質は司令塔である。前頭葉（前頭前野、運動関連領域）、頭頂葉、後頭葉、側頭葉がある。
前頭前野は、ほかの皮質部位と接続して、他からの情報を得ては指示する。
ここは一時作業記憶を持ち、その上に認知機能を持つ。視覚から得た空間・形態・色情報を処理する。他人の心を理解する。また、辺縁系をコントロールしている。
運動関連領域は、脊髄に指示を送る。外部刺激や記憶に応じて、手を伸ばし把握したり両手を協力させるなど、運動を準備し企画構成する。
頭頂葉は、運動に関連する高度機能を受け持つ。身体部位ごとの局在性がある部分（ペンフィールド地図）から、複数の部位にまたがる高次な連合を担う部分へ、階層的になっている。姿勢や自己身体を認識したり、手を能動的に動かして探索したり、手で操作する道具を手の延長としてイメージしたりする。
後頭葉は、視覚情報の中枢である。
側頭葉は、形態情報を認識したり、聴覚情報を処理する。表情など特定の視覚刺激に選択的に反応したり、海馬・扁桃体の記憶と照合したりする。</td></tr>
<tr><td>辺縁系</td><td>辺縁系は古い脳であり、哺乳類では皮質が辺縁系を覆う。ここは、意欲や情動・本能行動の司令塔である。海馬、扁桃体、帯状回などがある。
扁桃体は、外部刺激に対し、皮質での処理を待たずに瞬間的な反応を起こす。
海馬は、記憶と空間認識に関与する。
帯状回は、他者の心を想像する能力に関わる。</td></tr>
<tr><td>基底核</td><td>大脳基底核は、（特に内発的な）随意運動の制御、認知・情動の制御、学習の強化を担っている。皮質の各部や脳幹と接続し調整している。</td></tr>
</table>

小脳	小脳は、脊髄に伝わってきた体性感覚と視覚から、身体の姿勢を制御したり外発的な運動を調整し、学習する。例えば、調整の結果、意識せずに歩いたり、首が回転したときに反射的に眼球が逆回転したりする。また、後天的に運動のパターンを学習し、例えば、箸を扱ったり、自転車を乗れるようになる。大脳の皮質には神経細胞が140億あるが、小脳には驚くべきことに1000億個ある［三上章允（みかみ　あきちか）］。
脳幹	脳幹は、脊髄からシグナルを伝達して反射を指令する。爬虫類脳とも呼ばれ、生命維持・繁殖に必須な機能を果たす。例えば、呼吸や心臓の拍動など不随意機能をこなす。脳幹は、中脳、間脳を含む。間脳は、視床を含む。 視床は、嗅覚以外の感覚を大脳皮質へ中継する。視床に入った感覚刺激は、大脳辺縁系の扁桃体へと直接流れて生体反応（と情動）を起こすルートと、大脳皮質に流れて遅れて詳細な処理が行われるルートとに分かれる。後者が前者を見ているのが、感情というものらしい［箱田裕司、都築誉史、川畑秀明、萩原滋，2010］。

表：脳の構成

第2の脳

大脳皮質には、体性感覚野と運動野という部位がある。そこは機能が特定の場所に関連付けられる。ペンフィールド地図というもので表される。これを見ると、発声関係と手指の部分が大きいことに気づく。

大脳皮質は、ほかの脳・神経部位を制御・指令する部位として、哺乳類になってから発達した部分である。それ以前は脊髄や小脳で反応することで足りていた。また、哺乳類の中でも、ヒトは特に大脳皮質が発達した。大脳皮質の、感覚と運動に局所的な部分のかなりが、手指と発声器官周りに対応する。そのことは、手指と発声がヒトの知能の本質的な部分であることを示す。

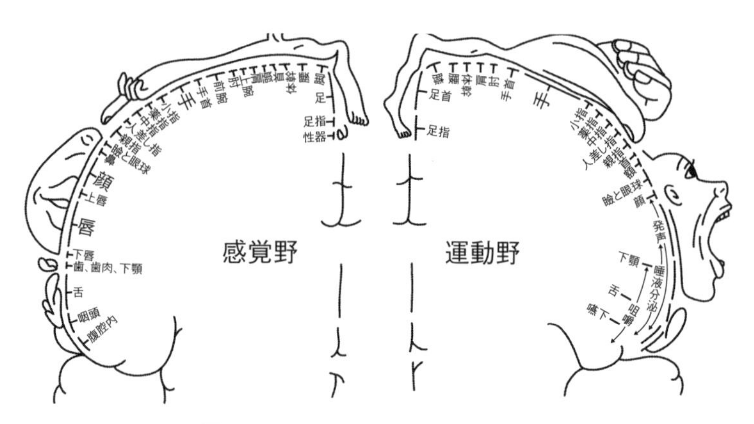

図：ペンフィールドのホムンクルス

手は第2の脳といわれる。従来、ヒトがコンピュータを操作するときに、手指に頼ってきた。それは、手の歴史とその脳部位の大きさから見て、納得できる。一方、発声はヒトの条件と思える役割を果たし、脳の部位も大きい。しかし発声の知能のほうは、ヒトと機械道具の関係の中でほぼ利用されていない。ヒトの生体機能をもっと生かせる。

人は総合する動物

機能局在の部分を除くと、大脳皮質の約2/3の広い領域が連合野と呼ばれる。連合野は、高次な脳機能を具現化している。感覚情報を統合して認知としてまとめ、感覚と運動を統合し、過去の記憶と関連づけ、随意運動を起こし、情動行動、言語機能、精神機能、作業記憶などを担う［蔵田潔、渡辺雅彦，2021］。つまり、個々の感覚・運動機能よりも、実はそれらを統合する部分が、ヒトの特徴といえる。

これは、ヒトと道具の関係に重要な示唆を与える。現在、ヒトがコンピュータを操作するインターフェイスは、手で操作し眼で知覚する。ある情報の流れに関し、単一の手段を使うことを「モノ・モーダル」という。ヒトは、環境に対し、複数の受容器官で諸感覚を総合してとらえ、複数の効果器官で総合的に反応している。複数の情報経路を総合する「マルチ・モーダル」が自然なのである。道具と人の関係がなぜそうでないのか？

短期記憶は4個まで

よく、マジカルナンバー・セブンといわれる。が、認知心理学の知見では、ヒトが一度に記憶できるのは、4個までである。そして、あるカテゴリーで長期記憶から想起できるのは、3個までである［スーザン・ワインチェンク，2012］。また、ヒトは、選択肢が3つか4つまでの場合に限り、すぐに選ぶことができるそうである。チンパンジーは、4個の数字までは95%の正確さで覚えられるが、5個で65%まで落ちるそうである。類人猿とヒトの短期記憶の容量は、大して違わないようだ。自然の環境では、そのくらいの選択肢で充分生存できたのだ。

現在のコンピュータのインターフェイスは、この事実を考慮していない。5個より多い選択肢が、意味不明なしるしとともに溢れかえっている。家電のリモコンしかり、パソコンやスマホしかり。現代の抽象的な構築物は、自然に反している。この点は、現在のグラフィカル・インターフェイスの複雑さとして、後で触れる。

脳の可塑性

ヒトの遺伝情報であるヒトゲノムは、約30億個の塩基で構成される。１つの塩基は、ATGCの４種類の分子のいずれかである。４つを識別するには、00・01・10・11の区別ができればよいので、塩基は２ビットの情報を持つ。したがって、ヒトゲノムの情報量は２ビット×30億個＝60億ビットである。

一方、大脳皮質の神経細胞は大雑把に100億個で、仮に神経細胞当たりシナプスの結合数を平均1,000個とし、結合の持つ情報を抑制と興奮の２値（１ビット）とすると、一つの神経細胞の出力は1,000×1ビット。脳の持つ情報総量は、1,000ビット×100億個＝10兆ビットとなる。

すると、ヒトが、生まれる際に受け継いだ情報量60億ビットよりも、ヒトが成人になって活用する情報量10兆ビットのほうが、はるかに大きい。つまり、脳の配線は、遺伝ではなく、ほぼ生後に決定される［杉江昇、大西昇，2001］。

手に第６の指というのを装着し、腕の筋肉の動きでコントロールするように少し訓練すると、自分の体の一部であるかのような感覚で動かせるという。道具を体や頭の一部であるかのように巧みに操るという体験を、ヒトは多くすでに行っている。ヒトは、自転車のハンドルを難なく無意識的に操舵できる。あたかも手の一部であるかのように。ヒトは、車をバックさせるとき、車の幅をなんとなく感じながら駐車スペースにバックしていれる。また、ヒトは、社会的教育によって言葉と文字を操れる。言葉は、ヒトの意識そのものであるかのようである。人と調和した道具は、ヒトの身体とも、脳神経系とも、一体化してくる。そして、ヒトの生得的な能力が道具で拡張される。

ヒトの能力は、生物的な進化という結果よりも、生まれた後の社会的な効果が断然影響力を持つのかもしれない。ヒトは、生物の遺伝子の論理を超えて歩み始めているのかもしれない。

ヒトは時分割でマルチタスクできる

ヒトは、考えながら（音響的言語活動）、文字をタイプできる（機械的・視覚空間的な言語活動）。クリストファー・ウィッケンズは、複数の認知活動の干渉に関し、以下のような理論を提唱した［Wickens, 2002］。

- 知覚・認知のための脳資源と、反応の選択と実行の脳資源とは、独立である。例えば、パイロットは飛行機の混み具合を認識しながら、同時に適切な対応をとる。
- 音響的作業と視覚的作業とは、それぞれの作業を複数やるよりも、異なる種類の作業のほうがより効率的に時分割できる。例えば、何か文章を考えているときに他人とおしゃべりはできない。しかし、車の運転手は、声で指示を受けてハンドル操作ができてしまう。
- 周辺視野と注目視野とは、異なる資源を使う。例えば昨今問題となっている歩きスマホができてしまう。
- 空間的作業と音響的活動は、効率的に時分割できる。例えば、運転中、ハンドル操作以外の手操作は運転を中断させるが、声で機器操作するのは楽である。耳で捕まえた議論のキーワード（音響的）は、メモに記録（空間的）できる。

ところが最近の研究では、ヒトが一度にできるのは１つだけである［スーザン・ワインチェンク，2012］と分かった。ヒトは、素早く切り替え、時分割している。それが二つの作業を同時にこなしているように見える。自動車の運転をしながら、着信した電話で会話をするのは、実は注意力を散漫にしている。音楽を聴きながら勉強したり仕事をしているのは、実は作業効率を下げている。

解剖学者の養老孟司によれば、言語活動に、視覚的活動と音響的活動と二側面があるという。頭で、数を数えながら（音響的）、しゃべること（音響的）はできない。何か文章を考えている（音響的）ときに、他人とおしゃべりはできない。しかし、頭で数字カードで数字が増えていくのをイメージしながら（視覚的）、しゃべることはできる。つまり、ヒトは、視覚的言語活動と音響的言語活動を効率的に時分割できる。音声によるテキスト生産を利用するとき、この点を気に留めておく必要がある。

所作の匠

身体運動を受け持つ小脳は、皮質より桁違いにたくさんの神経細胞を含む。ややもすれば大脳皮質の機能にばかり目が行くが、身体運動にも膨大な知能が詰まっている。ヒトと道具は、ここでも濃密な関係を持っている。ヒトと道具のこれからの関係を考えるときに、見過ごしてはならない。

第1章のまとめ

1 概要から

- コンピュータは、ヒトの生体の能力と特徴を尊重すべきである。むしろ、ヒトの力を引き出す関係であってほしい。

2 生体の歴史から

- 歴史的な地平を視野に持つことは、技術の一時的な流行り廃りに惑わされないような視点を与える。

3 受容器官から

- 視覚は生物の進化上で大きな役割を果たした。そのアナロジーで、道具がヒトのような眼を持つことの効果が期待される。
- ヒトは視覚的動物であり、高効率な仕組みを持っている。視線は素早い。ヒトの読み取り速度も速い。コンピュータを操作するとき、ヒトがもっぱら眼を使うことには十分な理由がある。
- 視覚は、空間的な記憶を持つ。また構造認知ができる。どんなアプリもその利点を無視できない。
- ヒトは3次元の住人である。コンピュータアプリは、3次元世界の豊かさを生かしていない。
- アイコンなどの視覚的なしるしは、表現力が限定され間接的である。

- ヒトは、顔・表情に特殊な反応をする。それを生かすヒト型ロボットに期待できる。
- 聴覚は、発声器官と一体である。言語発生の条件となった。
- 音響インターフェイスは空間的なインターフェイスで相補う必要がある。

4 効果器官から

- 手は第2の脳といわれる。脳の発達とともに器用さを増した。
- 手は器用に多彩なことができる。コンピュータ・インターフェイスは、その一部しか利用していない。
- 指差し行動は、原初的なコミュニケーション手段である。指差しで、対象・自己・他者の関係を伝達するのはヒトの特徴である。
- 視覚的情報ないしヒトの環境が、手の操作の意図と効果に意味を与えている。
- 手は移動距離に束縛される。
- 発声器官は、言語を生み出した点で、ヒトの発生の条件といえる。ヒトと道具の間の存在としてもっと大きな役割にふさわしい。

- ヒトは、社会の中で後天的に言語を学習する。ヒトがヒト社会の一部であることの条件は、この言語である。
- 発声のテキスト生産速度は、指の5倍である。
- 声は感情を表す。
- 視線が、社会と自己意識を作った。

5 脳・神経系から

- 手指と発声は、ヒトの知能の本質的な部分である。
- ヒトは、環境に対し、複数の受容器官で諸感覚を総合してとらえ、複数の効果器官で総合的に反応している。マルチ・モーダルが自然なのである。
- ヒトが一度に記憶できるのは、4個までである。
- ヒトは時分割でマルチ・タスクできる。

第2章

言語と文字

1 言語

言語の前提

ヒトの脳は大きい。ところで、純粋な大きさでいえば、クジラのほうがヒトよりも脳は重い。クジラは神経細胞の数も1億を超え、ヒトと大差ない。しかし、脳の重さに体重を加味した指標だと、ヒトの脳の大きさはほかの動物を引き離す。どんな要因がヒトの脳を大きくしたのか？

初期人類のアウストラロピテクスは、320万年前、直立二足歩行を始めた(p.31『図：生体の歴史』を参照)。手が自由になったことが、手先の器用さを促した。ヒトは、親指がほかの指と対面し、上手にものをつかめた。次第に、ヒトは手指で複雑な作業ができるようになった。手先の器用さと道具の巧みさと脳の発達に、相乗効果があった。

一方、霊長類は、社会的関係が強く複雑である。その社会的環境の中で、他個体との関わりから生じる様々な問題を解決する必要があった。それが、脳の発達を促した。マキャベリ的知性仮説、あるいは社会脳仮説といわれる［箱田裕司、都築誉史、川畑秀明、萩原滋，2010］。

- 霊長類には社会的行動がみられる。毛づくろいや抱擁などの身体的接触で関係を強める。あくびが移るなど、他個体の行動を無意識に真似する（カメレオン効果）。ゴリラのリーダーは鳴き声で群れを統率する。
- 霊長類はほかの個体の道具使用を模倣する。ある道具を使うとき、それを身体の一部とみなして興奮する神経細胞を、ミラーニューロン［箱田裕司、都築誉史、川畑秀明、萩原滋，2010］という。それは、他個体が目の前でその道具を使うときも興奮するという。つまり、他個体を見て、自分の行動神経回路を適用して模擬している。

- 霊長類は、他個体の視線や指差しによって、他個体の注目対象に注目するという共同注意行動を行う。他個体の心を推察することができ、心の理論を持っている。また、ヒトでなくても、他個体の表情に対し、脳のヒトと同様な脳部位が興奮するという。他個体を意識する心の理論は、自己意識の源でもある。「心の理論」が生まれると、他個体の注意がどこに向いているかを意識できる。すると、それが自己の身体に向かっているかもと、意識できるようになる。他個体の心が注意を向けている「じぶん」という意識が、自己意識の源である。なお、チンパンジー、ゴリラなどは、鏡を見て自己認知できるという［箱田裕司、都築誉史、川畑秀明、萩原滋，2010］。

手・道具と社会脳という二つの話は、直立二足歩行を共通要因としてつながる。

直立すると、腰周りを細める必要がある。産道が狭まった。そのため、子供は小さい早い時期に出産したほうが有利だった。子供は、ほかの動物よりも、未熟な状態で生まれることになった。未熟な子供には、周りで守る仲間が必要だった。子育てのために、大人の社会が必要であった［ユヴァル・ノア・ハラリ，2016］。

このようにして、直立二足歩行が手と脳の相乗作用をもたらした。さらに、ヒトの社会性の一層の強化を促し、脳を成長させた。

一方で、ヒトは発声器官を進化させていた。そして、上記のような発達した社会脳のもとに、音響言語での会話が発達した。逆に、会話がさらに社会脳を大きくしたことも想像できる。音響器官の進化の上に、社会的会話と脳の成長の相乗効果もあったかもしれない。

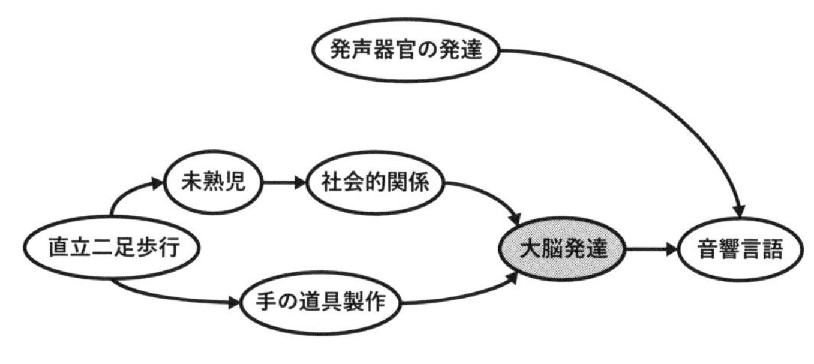

図：言語発生までの要因

さらに、火を使い始めたことも脳の進化を促進した要因のひとつである［ユヴァル・ノア・ハラリ, 2016］。火を使った調理によって、消化が楽になった。そのおかげで、小さな歯と短い腸で足りるようになった。そして、得たエネルギーを脳に使うことができた。

言語発生

言語の発生については、諸説ある。

どんな動物も、なにがしかのコミュニケーション手段を持って、仲間と会話する。例えば、ハチはダンスというジェスチャーで、餌の場所を会話する。多くの動物は、フェロモンという匂いの化学物質で、生殖のための会話をする。ある魚は、電気で会話するという。ある動物は、体表の色で異性にアピールする。カラスやシジュウカラは、鳴き声の種類や組み合わせで、仲間と会話する。ある動物たちは、体臭を残すことで、縄張りを他個体に伝える。これらは、生存・生殖に密着した会話である。一方、霊長類は、声を使い、他個体を欺くためにさえ使う。

マイケル・コーバリスは、身振り・手振りで表現することが、ヒト言語のもとになったと唱えた［マイケル・コーバリス、TED-Ed］。赤ちゃんでも、表情、まなざし、指差しなどで会話する。これらは、空間的・視覚的な情報伝達手段である。そして、ヒトの場合、35万年前ほどの頃には、発声器官が発達していた。空間的・視覚的な表現で弁別してきた意味を、音響言語を操ることで、より複雑でより正確に表現できるようになった。

解剖学者の養老孟司によると、言語には時間的言語（音声）と空間的言語（文字)とがある［養老孟司, 1998］。視覚は光という電磁波を感知し、聴覚は空気振動を感知し、感覚器官としてはそれぞれ独立に進化した。視覚は空間の中に時間と無関係にあり、音は時間の中に空間と無関係にある。35万年前ごろ、ヒトはそれら異なるものを連合し統一した。それが、ヒトにおける言語の発生だという。視覚的言語と聴覚的言語の連合は、ヒトの大脳の神経細胞の接続でも説明できるという。聴覚的言語を扱う部位（ウェルニッケ中枢）と、視覚的言語を扱う部位（角回）とは、つながっている。そして、双方が運動性言語中枢（ブローカ中枢）につながっている。

言語の発生によって、ヒトは飛躍を遂げた。さらに、5,000年前頃、空間的言語として文字というものが加わり、また別次元の文化の爆発をもたらす。

言語の効果

ヒトは、動物的に知覚に反応する以上に、抽象的な概念・シンボルを思念する力を持っていた。言語は、実在するあるいは抽象的な何かを指示し、構文構造をもって組み立てる。構文構造は、再帰的なので、実質、文の種類は無限である。ヒトは、言語によって、概念を組み合わせ、無限の種類の意味を表現し、理解することができるようになった。感覚から離れた複雑な概念をも表現できることが、ヒトの世界を広げた。

歴史家ハラリによると、ネアンデルタール人やデニソワ人でなくホモ・サピエンスだけが生き残ったのは、架空のことを語る柔軟な言語のせいだという［ユヴァル・ノア・ハラリ，2016］。

7万年前から3万年前にかけて、ネアンデルタール人が滅びる一方で、ヒトは、アフリカ大陸を出て他大陸に広まった。ヒトは、その頃、船、ランプ、弓矢、針などを発明した。宗教、交易、社会的階層も生まれた。ハラリは、この時期のヒトの変化を「認知革命」と呼んだ。

動物の世界では、社会的集団で安定した関係を保つには個体数150（ダンパー数）が限界だという［スーザン・ワインチェンク，2012］。ホモ・サピエンスが生存競争に勝ったのは、ネアンデルタール人に比べて、多産だったからという説もある。多産で、ダンパー数を越えて安定した集団で、言葉でコミュニケーションし協力し合って暮らした。これができたのは、ハラリによると、認知革命によって、架空の物語、つまり、彼の言葉でいうと虚構（伝説、神話、宗教など）を共有できる能力があったためだという。

抽象的概念を操る道具を得たことで、ヒトは社会的知能といえる集団的な蓄積を持つようになった。ある個体があることを考え出したとする。それは集団の中に伝わり、共鳴者が広がる。そして、集団の知能として、各人に内在化される。別の個体が、最初の考えの上にさらに別の考えを追加する。高められた考えは、再度、集団の中に共鳴者を生み、広がり、内在化される。つまり、個人の概念的思考と社会的知能とが、相互に刺激しあうポジティブ・フィードバックである。集団が大きくなるにつれ、集団間も共鳴振動しあう。社会的知能は、個人の思考を増幅する。個人の思考は、社会的知能を増幅する。相互にどんどん高まっていく。こうして、宗教、学問、科学など、今日のあらゆる文化が生まれた。

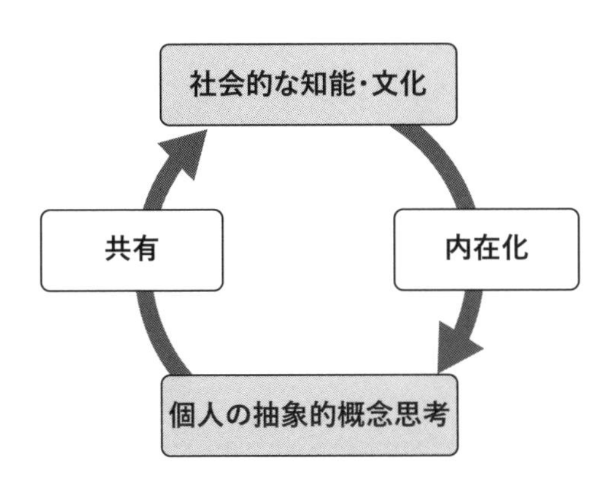

図：言語の効果：認知革命

ところで、現代は、道具としてのコンピュータが言葉を操れるようになった。これは、昔ながらのヒトと道具との関係性とは異質な水準の関係へ導き、別種の共鳴振動を引き起こしうる。

巨大言語モデルは、いわば社会的な知能文化の一表現である。

2 文字

文字の発明

およそ5,000年前のシュメール文明に、ヒトが文字を使った初めての痕跡がある［クリストファー・ロイド, 2012］。ヒトは、器用な手指とそれを導く高度な視覚があって、文字を操れる。ところで、発声言語の出現は、いくつかの進化要素の組み合わせで、偶然にも見える。が、文字の発生の前には、すでに器用極まりない手があった。そして、抽象概念をあやつる音響的言語があった。文字の発生は、必然に見える。

文字の効果

ヒトは、文字によって、時空間を超えて情報を伝達できるようになった。

文字によって、ダンパー数よりはるかに多数のヒトに、情報を確実に共有する道が開けた。音声では、近場のヒトにしか伝わらない。一方、文字は、個体や生活空間や広場の枠を超えて伝達できる。それは、集団としての文化形成、教育、思考の深化に役立った。構成個体数が多くなれば、そこにネットワーク効果が生まれる。以前より規模を大きくして、社会の変化が起きるようになった。

さらに、文字は時間的な次元でも効果をもたらした。音声は時間とともに流れ去る。しかし、文字は外部に永続的に記録できる。そして、それは世代を超えて伝達できる。文化や変化が蓄積できるようになった。

外部に視覚的に文を保持できるため、伝承スタイルも様変わりした。ゴータマ・ブッダの弟子が生きた時代、師の教えを受け継ぐには口伝しか方法がなかった。口伝の記録は、同じことの繰り返しが多い。音声表現は、韻を踏んだ繰り返しだと、覚えやすい。また、言い間違えが起きないように、詳細を何度も繰り返した。しかし、文字が利用できるようになると、それらの必要がなくなった。目で即座に確認できるため、省略もできるようになった。

ヒトは、視覚的に一度に多くの言葉を認知することができる。しかも、永続的な記録は目で何度も確認できるため、記憶しやすい。さらに、省略もできるため、記録効率もいい。そして、表現された思想を何度も反芻して、知識や思考を深めることができる。

コンピュータが生まれたとき、文字は、文字コードに符号化された。このディジタル表現のため、テキストのコピーや通信や計算処理は容易だった。文字がなければ、プログラムという概念もありえなかった。

文字は、人が生物として強みを持っていた生体機能、目と手で操作する。これによって、知識や文化の集団共有のスケールが大きくなり、ヒトの歩みが一層加速された。

❸ 音響言語と文字言語

音響言語と文字言語

ところで、文字の登場時期は、ヒトの進化史から見ると、かなり最近のことである。ヒトは、ほとんどの時期を音響言語で過ごしてきたし、概念を操る認知革命を文字なしで起こしていた。

文字の登場後ヒトのコミュニケーションは、二つに分裂した。音響言語は、日常の生活空間で発声される。誰の声か、個体が明示的である。感情も、明らか。いつ、どこで、が特定できる。その意味で、直接的である。一方、文字テキストになってしまった言葉は、時空を超える。しかし、誰が、いつどこで生産したものか、個性や感情も抜け落ちる。その意味で、間接的で形式的である。

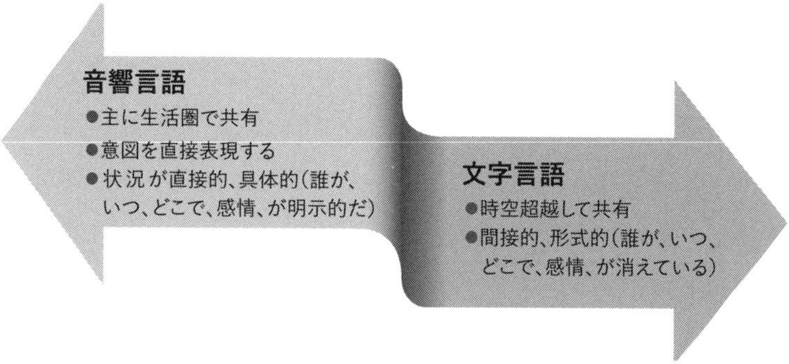

音響言語
●主に生活圏で共有
●意図を直接表現する
●状況が直接的、具体的(誰が、いつ、どこで、感情、が明示的だ)

文字言語
●時空超越して共有
●間接的、形式的(誰が、いつ、どこで、感情、が消えている)

図：音響言語と文字言語

ヒトにとってより自然で基本にある音響言語のメリットを、もっと引き出せるのではないだろうか？

- ヒトは、音声という生得的な能力で、自然に意図を表現する。ヒトが何をしたいのかはそこに明らかである。つまり、音響言語は、意図を表現する。
- また、そこには、誰が、どういう感情で、いつ、どこで、などはすべて明示的である。つまり、音響言語は、状況が直接的・具体的である。道具であるコンピュータから見ると、アプリの制約がそこにたくさんある。

第2章のまとめ

- 道具と手の発達、および複雑な社会的関係で、脳が大きくなった。また発声器官の発達が、言語発生へ導いた。
- 言語は、身振り・手振り・眼振りという空間的言語が、音響的・時間的な手段の力と統合されて、複雑・正確な表現へと進化した。
- 言語は、抽象的な概念操作を可能にした。ヒト社会は、抽象的な概念を共有することで、ダンバー数を超えた集団形成を行った。抽象的概念形成と社会的知能は互いに増幅しあった。
- 道具としてのコンピュータが言葉を操れるようになった。昔ながらのヒトと道具との関係性とは異質な水準へ向かうだろう。
- 文字は、時空を超越した伝達を可能にし、ヒト社会の歩みを加速した。
- 文字言語は、時空を超越し、間接的で、形式的である。それに対し、音響言語は、生活圏内で利用され、ヒトが生得的な能力で産出する。そして、発信個体や感情やいつどこでが明示的である。

第3章
コンピュータ

1 コンピュータという道具

コンピュータの恩恵

ヒトは、抽象的な概念・シンボルを思念する力を持った。ヒトは言語によって、概念を組み合わせ無限の種類の意味を表現し、理解することができるようになった。ヒトは文字によって、時と空間を超えて意味を共有できるようになった。

言語や文字によって伝達されるものを情報という。ヒトはコンピュータによって、情報を記憶し操作する道具を得た。それによって疲れ知らずに仕事をこなせる。

コンピュータによって、情報のディジタル化ができた。それによって、紙の記録の物理的な劣化から解放された。さらに、コピー、更新、加工が楽になった。検索やソートやチェックといった計算機能が難なくできるようになった。

そして、コンピュータをネットワークでつなぐ、インターネットが生まれた。このインターネットによって、誰でも、情報を発信しアクセスできるようになった。ヒトは、誰とでも即座につながれるようになった。文字による外部の知識が、インターネットというヒトの巨大な情報共有倉庫に変化した。

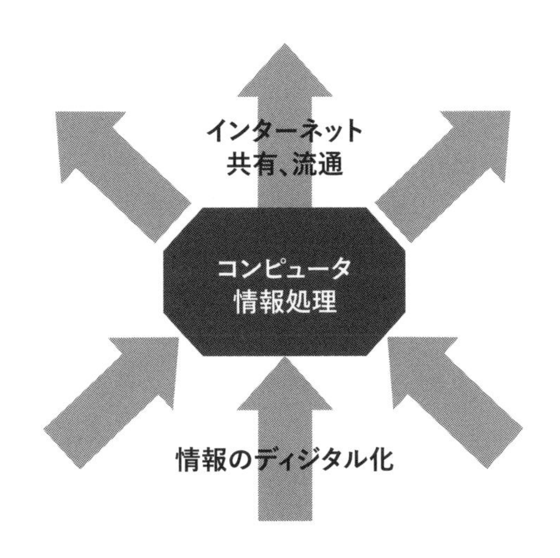

図：ディジタル化とインターネット

コンピュータとディジタルデータとインターネットは、ヒトが生み出したほかの抽象物を改変して、さらに発展した。

例えば、スマホの地図アプリを見てみよう。地図は、ヒトの空間認知の抽象である。地図アプリの情報は、紙の地図と異なり、本屋へ出かけて買ってくる必要はない。スマホをポケットに入れておけば、かさばるものをカバンに入れて持ち歩く必要はない。探したい場所は、ズームインとズームアウトの組み合わせで、一瞬で見つかる。メモを付加することができる。スマホは自分がいる場所をGPSで感知しているので、いまここから、目的地までの道案内をしてくれる。今利用したレストランで感じたことを読み、書いて共有できる。近くの道路の混雑具合をすぐに調べられる。ここでは、地図、GPS、店舗情報、道路などが融合されている。

コンピュータの力は、情報だけでなくほかの抽象物をも巻き込むので、想像できない可能性を持つ。

昔、エリートが知能の拡張を目指した

ヒトとコンピュータのインターフェイスの問題を探る前に、その歴史を振り返っておく。

コンピュータは、第２次世界大戦でミサイルの弾道計算などに利用され、成功をおさめた。そして、ヴァネバー・ブッシュが1945年に「私たちが考えるように」（As We May Think）という論文［Bush, 1945］を公開した。「大量生産できるハードウェアの進歩で、ヒトの物理的な力は拡張した。これからの科学者は、ヒトの精神を拡張することに向かうべきだ」と唱えた。この論は、以降のコンピュータ研究者の先人たちにインスピレーションを与え続けたという。

つまり、コンピュータは、その創成期には『知能の拡張』が目標だった。頭脳労働を助けてくれる道具という発想である。ここで、コンピュータの主な利用者は、科学者や研究者という、インテリないし『エリート』だった。

ブッシュの影響を受け、その後、いくつかの重要な概念が生まれた。

当時、コンピュータに一括してデータを与え、一括して結果を受け取っていた。リックライダーは、1960年に、ディスプレィごしに対話式にやり取りすることを提唱した。

エンゲルハートは、1962年、「Augmenting the Human Intellect : A conceptual framework」という論文を発表した。そして、1968年に学会で、マウス、ワードプロセサ、COPY&PASTE、ハイパーリンク、リアルタイムな共同作業、画面分割、ビデオ

会議などをデモし［Mother of All Demos, 1968］、参加者をびっくりさせたという。

その後、回路の集積度が高まり、ハードが小型化していった。そこで、アラン・ケイが、1970年代にパーソナル・コンピュータ（パソコン）の概念を発明した。ここに、60年代に芽生えたグラフィカル・ユーザー・インターフェイス（GUI）と呼ばれるものが、ほぼ完成する。

このとき、アラン・ケイは、子供でも誰でも使えるコンピュータを狙っていた。つまり、コンピュータの歴史の中で、初めて想定利用者層（ペルソナ）の転換という画期的なことをやった。しかし、パソコンも、エリートの知能を拡張するという道具の枠組みから踏み出さなかった。

ユビキュタス・コンピューティングという批判があった。しかし、エリートの知能拡張のための道具ということに対し、多くのエリートたちに批判的な思考は起きなかった。エリートや技術者たちは、頭脳労働を助けてくれる素晴らしい道具を手にし、いろいろなことを実現するために夢中になっていたのである。ウィンドウ、アイコン、メニュー、ツールバー、カーソルなど、コンピュータ特有の抽象的な概念とそれを実装するコードが、どんどん積み上げられていった。そこに、ヒトが持つ意図・目的とかヒトの身体性とかはなかなか視野に入ってこなかった。

そして2000年代に、スマートフォンが生まれた。利用者層は、エリートでなく一般のヒトである。用途は、情報の流通である。もはや、エリートの知能拡張という発想のインターフェイスでは、限界があるのは明らかである。

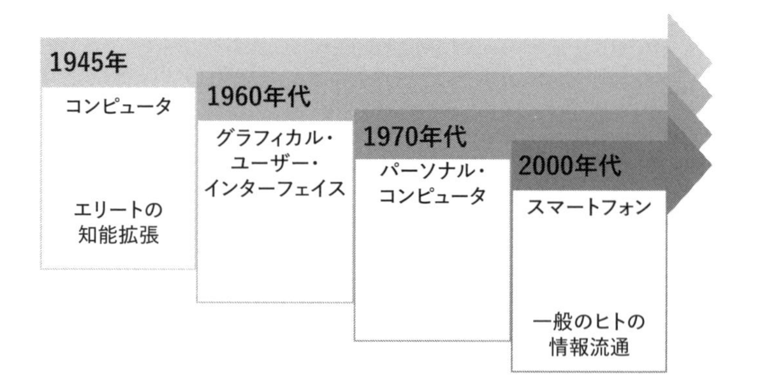

図：コンピュータの歴史

多くのIT技術者は、このエリートの知能拡張という発想の枠内で、問題解決をしてきた。IT技術の受益者である消費者とともに、過去の発想の犠牲者ともいえるのではないだろうか。しかし、IT技術者も、受益者も、遅かれ早かれ、その限界に気づくだろう。

コンピュータの操作概念は抽象的である

認知心理学によると［箱田裕司、都築誉史、川端秀明、萩原滋，2010］、ピアノ、蛇、時計、ハサミなどの具体的なものの単語は、正義、能力、自我などの抽象的な単語よりも、記憶として保持しやすいという。具体的なものは、目で見て、耳で聞き、触れる。それらは、身体全体でやり取りする。一方、抽象的なものは、ヒトの頭の中でのみ存在する。それを扱うのは大脳皮質である。

コンピュータという道具で扱うものは具体性がない。まず、操作の意味が抽象的である。また、いくつかの抽象的なステップをたどる。そして操作の結果は、電子的な変化に過ぎず、具体的に見えない。

ドナルド・ノーマンは、行為は7段階の手順を踏むとした[D.A.ノーマン, 1988]。「(1)ゴールがまずある。(2)実行しようという意図が起きる。(3)行為系列へ展開する。(4)行為系列を実行する。」➡外界を操作し、結果が返る➡「(5)外界の状態を知覚する。(6)知覚したものを解釈する。(7)解釈を評価する。」➡(1)へ戻る。

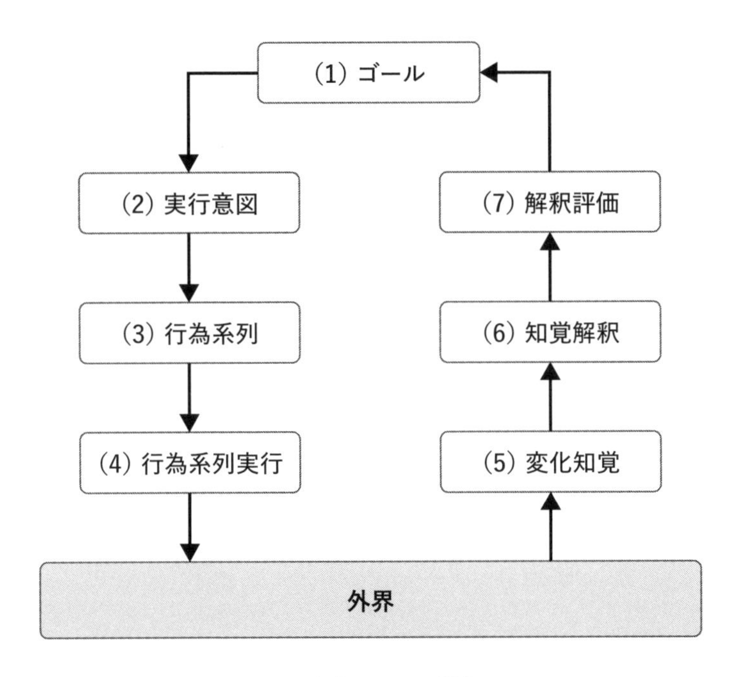

図：行為の7つの段階

コンピュータを操作する場合に当てはめてみる。例えば、スマホの通知が鳴ったり鳴らなかったりを、変えようとする。(1)

ゴールと(2)意図は、明確である。鳴ったか鳴らないか、(7)解釈評価も明確である。一方、どうすれば鳴ったり鳴らなかったりを変更できるのかの(3)(4)、およびどういう設定になっていればどうなるかを確認する(5)(6)も、コンピュータの概念を理解していないと難しい。コンピュータを操作する場合、(3)から(6)がコンピュータに特有の抽象概念から構成される。

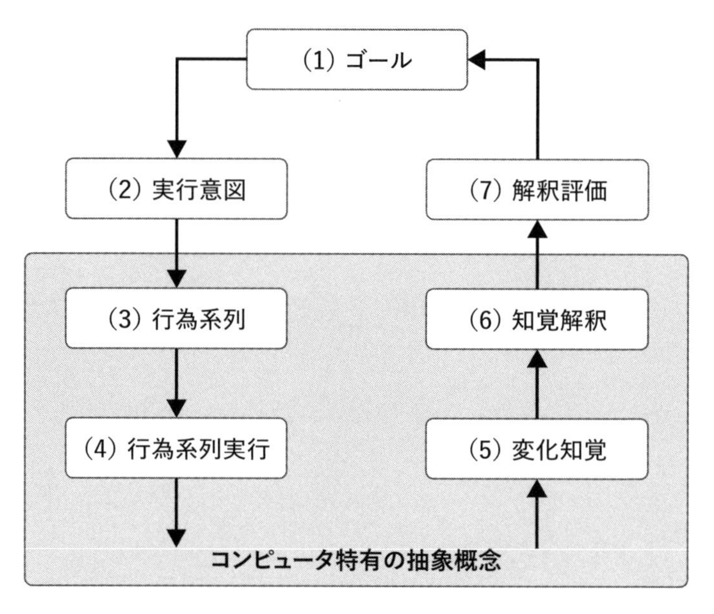

図：コンピュータ概念を含む行為

他の例を挙げる。

- 高齢者は、面倒なためスマホの画面をロックしないでおくことが多い。ロックするには、設定アプリを起動して、画面や安全関係のメニューを開け閉めして探し、指紋とか顔認証とかパスコードとかパターンとかいう表現の意味を理解しておき、しかるべき設定変更をしなければならない。やりたいのは、ほかの誰も開けないようにすることである。そのために理解し、やらなければいけない、中間的な抽象概念が多い。

- 高齢者は、設定の類をうまくできない。それでもいじっているうちに、お休みモードやマナーモードになってしまうことがある。すると、戻せなくなって音が出なくなったとかいうトラブルにはまる。戻すには、設定アイコンに始まる概念構造に潜り、いくつかの中間ステップが必要となる。
- 頻繁に見たいWEBページへのショートカットをスマホの画面に置きたい。それをやりたいだけなのに、いくつかのステップを経ないとできない。

こういう抽象的な過程は、ヒトには記憶しにくい。高齢者は、試行錯誤を嫌うので、発見して習熟するのも難しい。しかし、これらはそもそも余計なステップである。(1)、(2)、(7)だけで、他はないことが望ましい。

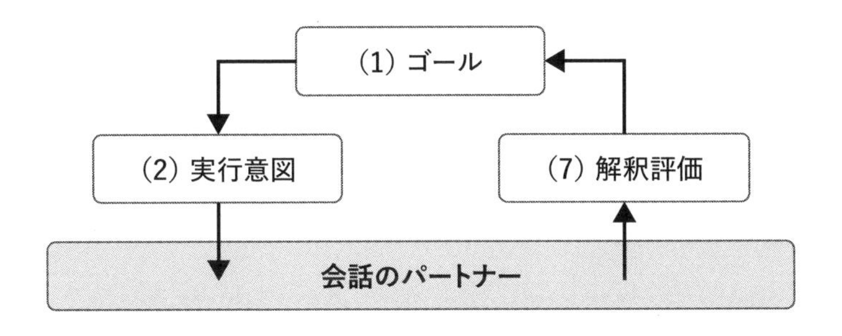

図：コンピュータ概念のない行為

理想的な道具とは誰でもすぐに目的達成できること

現在のコンピュータは、果たして理想的な道具なのであろうか？

ドナルド・ノーマンは、スニーカーの魔法のようなテープ状の面ファスナーを、技術の進歩のお手本とした［D.A.ノーマン，1988］。ヒトは、靴の紐を結ぶという習慣に慣れていた。これが出てきてから、それは一瞬の簡単なことに変わった。障がい者も、子供も、その恩恵を受けた。

また、自動運転は、別のお手本である。車の運転は、手段である。目的は、ある場所へ移動することである。自動運転は、苦痛なく、目的達成を果たしてくれる。

目的とは何か。ドリルを買うヒトは、ドリルが欲しいのではなく、穴が欲しい。パソコンが欲しいのは、きれいな文章やグラフが欲しいからである。スマホが欲しいのは、いつでもどこでも検索したいから。

道具は、最終目的をすぐに達成できることが理想である。しかしながら、コンピュータの操作は、目的達成のための中間の手順を使い手に強いる。それらはコンピュータ特有の抽象的概念である。したがって、コンピュータは理想的な道具ではない。

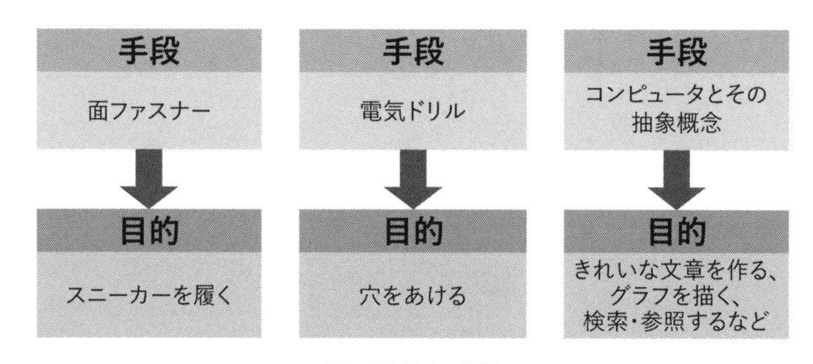

図：目的と手段

手段をデザインの一部にするのは、作り手の立場から出ない。目的をデザインのゴールに据えることは、利用者の視点を重視することである。手段をデザインの一部にすると、ヒトがコンピュータに合わせることになる。目的をデザインのゴールに据えれば、コンピュータをヒトに合わせられる。

2 操作インターフェイス

目と手指での操作

ヒトは視覚的動物で、手は器用である。古来、ヒトが道具を操作するとき、目と手指は主役級だった。そして、現在のコンピュータを操作するとき、情報の獲得はもっぱらモニターを目で見ることで行う。情報を生産しあるいは反応するときは、手指で行う。テキスト生産も、指示（コマンド）も、位置指定・対象選択も、手指で行う。

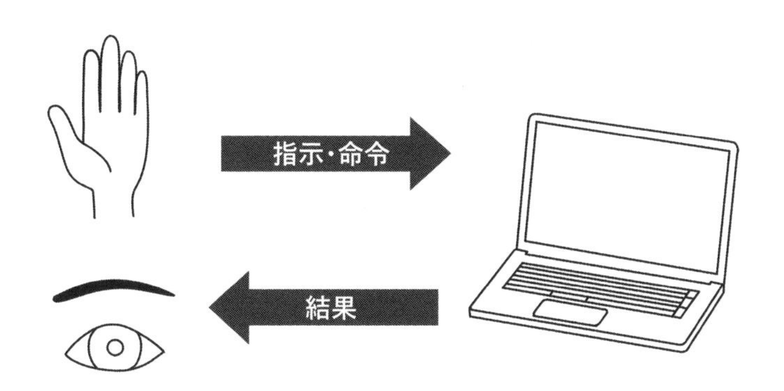

図：操作モデル

しかし、ヒトはいろんな器官を総合して環境とやり取りをしている。道具は、環境の一部であるとともに、ヒトの身体の延長でもある。ヒトが道具を扱うとき、感覚器・受容器を総合して身体でやりとりするのが自然である。

目だけで環境を知覚し、手指だけで反応するというのは、むしろ特殊な状況といえる。エリートたちは、その特殊なインターフェイスで抽象的な概念体系を操作することを、問題視しなかった。

石井裕は、「人がコンピュータ・ネットワーク空間に、マウスとモニターだけで触れるのは情けない」と言った［石井裕, 1997］。しかし、それは道具が未熟ということである。ヒトの能力の面から見ると、目と手指だけでやり取りすることが、情けない。

ヒトの能力の一部しか生かしていない

現在のスマホを含むコンピュータのユーザー・インターフェイスは、業界ではグラフィカル・ユーザー・インターフェイスと呼ばれ、GUIと略記される。GUIは、目と手指だけに頼る。これは、ヒトの身体能力を十分に生かしていない。

GUIが利用していない生体機能を、ここで拾ってみる。

- ヒトは、感覚や運動を特定の部分だけに頼って生活してはおらず、総合して環境に対処している（第１章❺）。しかし、GUIでは目と手指だけを使う。それは、不自然に限定されたものである。
- ヒトは、視聴覚を融合して言語を用いて考える（第２章

❶)。音響言語は、文字言語と極めて異なる利点を持つ(第２章❸)。しかし、GUIではもっぱら視覚的言語だけを操り、口と耳は遊んでいる。

- 手指は、多様な器用さを持っている（第１章❹)。しかし、GUIでは、一部の機能しか利用していない。箸やハサミを操る手の多彩な能力は、どこへ消えたか？
- 手は、機械動作するため遅い（第１章❹)。特に、発声のテキスト生産は、指の５倍速い（第１章❹)。
- ヒトは３次元の住民である（第１章❸)。しかし、２次元の光る画面をにらんで、コンピュータを操作する。リアルな世界の３次元の豊かさを生かしていない。
- コンピュータは、大脳皮質が操作する。歩いているときに、地図を見たくなった。歩きながら、手でスマホを持ち、目はスマホにくぎ付けになる。歩きながら転ばないようにバランスをとっている、皮質以外にある知能(第１章❺)は、スマホと無関係に動いている。
- 視覚は、遠隔感覚である（第１章❶)。一方、手指の機械動作系は、近接作用器官である。ヒトが道具を利用するとき、目と手を使う。手の届く範囲で、目を使う。遠くを見る目は利用されていない。
- ヒトは、運転とおしゃべりを素早く切り替えることができる（第１章❺)。
- 視線や指差しは、注目対象という、非常に重要な情報を与える（第１章❹)。ヒトの社会関係の中でも重要な役割を担う。GUIでは、利用されていない。
- 嗅覚は、利用されていない(第１章❸)。

- 体性感覚という身体全体にかかわる受容器や、手指以外の身体は、利用されていない(第１章❸)。

現在のGUIは、ヒト生体の利点の多くを利用していない。

制約が少ないと設計は難しい

人々の日常は、様々な制約に取り囲まれている。ドナルド・ノーマンによると、ハンマーやハサミなど日常生活の道具は、以下の４種類の制約によって操作できることが絞り込まれている［D.A.ノーマン，1988］。そのため、取り扱いやマニュアルなどなくとも利用できる、明確さを備える。

種類	例	日常の道具	コンピュータ
物理的	あるプラグはその形状にあったコンセントにしか差し込めない。 大きな突起は小さな穴に差し込めない。 鍵は鍵穴に上下逆さに入れると回らない。	○	×
社会的文化的	ネジは時計回りに回すと締り、逆回しにすると緩む。 車の右側のサイドランプを点灯すると右へ曲がるという印になる。 時計の１時と２時の間の時間は、２時と３時の間の時間と同じ長さである。	○	×
論理的	棒を右に倒せば対面した相手からは左に倒すことになる。 電灯は点灯しているか消灯しているかのいずれかである。 飛行機の到着時間は、出発時間の後である。	○	○
意味的	りんごは歩かない。 オートバイに乗る時に前方は決まっている。	○	○

表：制約

コンピュータのインターフェイスでは、これらのうち意味的・論理的な制約くらいしか、利用できない。それをデザインするのは、水道の蛇口やドアのノブのデザインとは、かなり異なる。制約が少ないのである。

コンピュータは、計算という目に見えない抽象的なレベルで動く。抽象的な操作によって、抽象的な結果を返す。どういうオプションを提供し、どういう結果提示をすればよいか、抽象的な枠しかない。コンピュータ・インターフェイスは、コンピュータを作っているヒトの頭の世界の中で組み上げられた概念構築物である。制約が少ないところでデザインするのは、非常に難しい。

❸ 操作インターフェイスの問題

アイコンは非力だ

現在、GUIが主流である。GUIの物理的に見える部分は分かりやすい。操作はマウスやタッチで行う。マウスは動かすとカーソルが動き、操作と結果の対応が明確である。マウスカーソルを対象の上でクリックすると、対象が選択され、色が変わったりする。タッチでも、対象選択の結果、アプリが起動したり、画面が変わったり、結果は明確である。

GUIでは、アイコンを多用する。アイコンは視覚的なしるしである。これは、一見、フレンドリーを装う。しかし、第１章でみたように、視覚的な印は表現力に限界があり間接的である。

水道の蛇口やドアのノブには、何ができるかを示す手掛かりがある。一方、GUIのアイコンは、手掛かり機能が弱い。当初はデスクトップ・メタファーという考え方があった。それは、仕事机にあるペン、文書、ファイル・キャビネットなど、実体あるものに似せようとするというものだ。しかし、機能が豊かになり拡大するにつれ、抽象的なことも表現しなければならなくなった。

ダウンロードや送信を意味する絵ってなんだろう？　設計者によってバラバラである。具体的な対象を示す非言語的イメージは、記憶に残りやすい［箱田裕司、都築誉史、川端秀明、萩原滋，2010］。しかし、抽象的な視覚イメージは、意味が通じにくく、記憶しにくい。

高齢者の場合はなおさら、抽象的アイコンは困難を招く。高齢者は、「？」からHELPを連想できない。３点リーダーは意味不明で、それをタップすると、画面に掲載できなかった「コマンド」が出てくるとは、想像できない。プラスマークや三角マークをタップすると、何やら展開して新しい詳しい情報が登場してくるとは、期待しない。

現在のスマホのホーム画面のアイコンにテキストラベルが、仮になかったとしよう。高齢者でなくとも、使えるだろうか？言葉という手段を併記して初めて意味が通じるしるしとは、いったいどういう価値があるのだろう？　アイコンは、不適切なところに利用されている。

内部の抽象概念を押し付けてくる

うまくアイコン経由でアプリを起動できたとする。内部の機能を見てみよう。

以下の場合は、分かりやすい。

- 対象が、明確な意味を備えているアプリは分かりやすい。スプレッドシート、地図アプリ、ワードプロセッサ、電卓アプリなどである。このようなアプリは、できることが分かりやすい。やった結果も分かりやすい。
- 利用者の意図が明確か、機能的に単純なアプリも、分かりやすい。電話、ショートメッセージ、ニュースアプリなどである。例えば、高齢者は、他に何もできなくても電話アプリは使える。電話の実物で使った経験がある。数字パッドを打つと、ツーツーと音が鳴り、相手が出る、ないし「つながりませんでした」とくる。電話等の概念も、操作も知っているし、結果もすぐに出て明確である。

しかし、そういう利点を持たないアプリや抽象的機能も多い。利用者は、あることがやりたいだけである。しかし、アプリは、使い手視点から遊離して、作り手の都合で組み上げた概念を押し付けてくる。以下、高齢者がスマホやパソコンを使う上で、はまった問題ケースから例示する。

- 文書作成で、利用者がやりたいのは、きれいな文書を作ることである。そのファイルを作ったと思ったら、上書き保存とか名前を付けて保存とかいうのは、何か？　保存する場所に、マイドキュメント、デスクトップ、OneDriveとか出てくるが、どういうことか？　利用者にとっては、名前とか保存場所などは、どうでもいい。後で、作った文書を取り出したり、印刷できればよい。ところが、ファイル・フォルダーやクラウドサービスなど、コンピュータの諸概念をヒトに押し付けている。

- 高齢者がスマホを使うとき、「アップデート」の意味は分からない。通知が来ても、わけが分からないので、無視する。そのうちに、Versionが古くなってほかのソフトと整合しなくなり、動作不良を起こす。高齢者にとっては、それならもうスマホの買い替え時かとなってしまう。アップデートとは、コンピュータ特有の抽象概念にすぎない。が、ヒトがそれを理解していることを当然視している。
- コンピュータは、ヒトがIDとパスワードを記憶していることを当然視している。生身のヒト世界では、記憶は薄れ、控えは紛失するものである。そういう生身のヒトの特質を無視し、コンピュータの都合を押し付けている。
- スマホを使っていると、「……が足りない」とくる。たいていは、詐欺メッセージである。たまに写真とかの記憶領域が足りない場合もある。スマホのストレージの利用状況をチェックすべきである。しかし、資源が足りないとは一体どういうことなのか？　メモリとストレージとは、どういうことなのか？　これらコンピュータに特有の抽象概念を、理解しておけと？
- スマホの電波の状況表示として、扇形と三角形と２種類の表示がある。これは、一体、何？　Wi-fiが使えるときは、それを使った方が経済的である。しかし、これは利用者が意識すべきことなのだろうか？
- いつも使うWEBページがある。それをスマホの画面に置きたい。ショートカットをホーム画面に置くとはどういうことか？　利用者は、ただすぐにみられるようにしたいだけである。ところが、インターネット、URL、WEBページ、ホーム画面などの意味を理解しないと、目的が達成できない。

石井裕は、「いまのパソコンのユーザー・インターフェイスは抽象化しすぎである」と言った［石井裕, 1997］。

ヒトがドリルを買うとき、欲しいのはドリルではなく穴である。ドリルはHOWであり、穴が望ましい結果のWHATである。ヒトは、WHATに価値を置き、HOWには興味がない。それと同じことが、コンピュータの操作にもある。やりたいことが目的でWHATである。操作の抽象概念はHOWである。

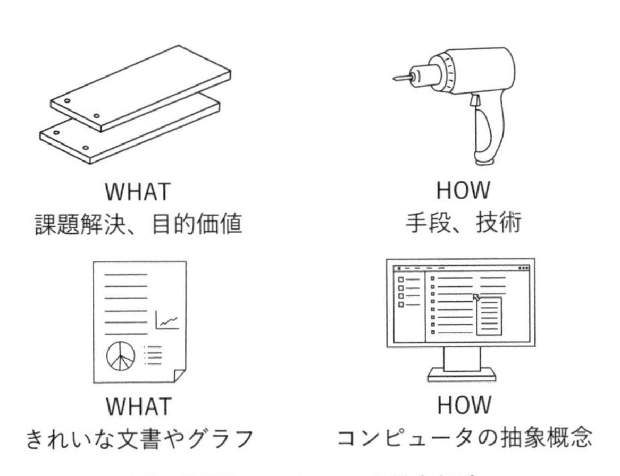

図：文章とコンピュータ抽象概念

メニューは掃きだめだ

第1章でみたように、項目が3個か4個までであれば、それを記憶したり選択するのは負荷が小さい。ところが、GUIのメニューは、機能を増やして詰め込む、いい掃きだめになっている。ある1つのメニューが、1画面に収まらないことも珍しくない。デザイナーは、利用者に必要なことだけにメニューを絞り込むことに、多くの場合、失敗している。

メニューは、簡単に項目数が増える。メニューは、別メニューを項目として持つこともある。こうして、ヒトがやりたいことを実行するのに、広くて深い探索空間を相手にすることになる。理想は、狭く（4個以内）て浅い選択肢のみであってほしいのに。使いやすさの逆である。

さらに悪いことに、メニューの用語は、しばしば、作り手の都合に基づく専門的内部用語である。また、利用者がやりたいことよりも、見つけてほしい広告的なメニュー項目だったりする。

高齢者向けのスマホは、購入時、すでにたくさんのアプリアイコンが組み込まれている。これらはメニューではないが、選択肢を提供する役割を同じくする。電話と連絡先は使える。カメラと写真も使える。それ以外のアプリは、何なんだろう？高齢者にとって、無駄ににぎやかな選択肢は必要な機能を探すときの障害になっている。ヒトのための道具なのに利用を阻害しているのは本末転倒である。

複雑怪奇なインターフェイス

GUIは、ヒトの概念的な構築物である。時間を経て発展するうちに、有機物と同様にどんどん複雑になる。

スマホが登場したとき、当然GUIが適用された。広い画面のインターフェイスが小さい画面のものへと変化した。マウスはタッチという直接操作へ変わった。しかし、それまでのGUIをもとにその進化を重ねたため、複雑さはより増した。

まず、構造的な問題がある。パソコンに比べてスマホは画面が小さい。パソコンのGUIの階層世界と同等のものを、小さな画面で提供するために画面遷移が多くなる。パソコンだと一度で把握できる構造が、スマホでは複数画面の渡り歩きが必要となる。コンピュータの抽象概念を、より断片的に相手にするため、分かりにくい。

画面のため、スマホはパソコンに比べて、複雑なアプリが提供しにくい。そこで、あるアプリは、機能を削らずインターフェイスの複雑さを増した。また別の多くのアプリは、機能を削る方向に行った。他方、あるアプリは、最初からスマホに最低な機能デザインにする決断をした。抽象概念をより隠し、利用者の問題解決に、より直接答えるデザインをとったアプリはあるのだろうか？

次に、操作上の問題がある。タップは、ボタンを押す日常的な動作と近いので、選択の意味と対応づく。ページや地図のスクロールやスワイプは、直感的に分かる。地図を大きくしたり小さくしたりするするピンチも、直感的に使える。

だが、そういう直感的な対応ができることばかりではない。意味と対応づかないジェスチャーも多い。例えば、電話が来たときに、受けるのをスワイプでやらせるのがある。スワイプに一体どういう直感的な意味があるのか？　長押しで、アプリのメニューが出てくる。長押しにどういう意味があるのか？

しかも、ジェスチャーと意味の間の対応が以下のように複雑に絡み合う。慣れないヒトが慣れるのは至難である。

- 一つの操作で、複数の意味がある。例えば、タップはアプリの選択＋起動であり、項目のタップは選択＋メニューの起動でもあり、入力フィールドの選択でもある、など。機能の数がスイッチの数を超えている状態である。
- 一つの意味なのに、その操作は複数ある。例えば、スマホでアプリを削除するのは、アプリアイコンを長押ししてから行う。しかし、写真ギャラリーで写真を削除するには、タップして行う。

操作される危険もある

ヒトが道具を操作するのは、一方向の関係である。操作してから向こうからの反応を見るまでは、ブラックボックスである。そこに、逆の関係が潜みこむ。利用者が道具に操作されていると解釈もできる現象が、すでに現実に、どこにでも起きてしまっている。以下のような経験がないだろうか？

- スマホを操作している。何気ない操作がトリガーになって、画面いっぱいに広告らしき枠が出てくる。了解ボタンがあるが消せない。この場合、ボタンを押すしかなくなる。スマホのそのアプリないしページに、それを使っているヒトが操作されたのである。
- スマホをONにする。ホーム画面に並んでいるアイコンのそばに、赤い小さな丸と数字が出てくる。何かの通知なので、そのアプリを叩いて開く。しかし、赤い数字は消えない。気になってイライラする。スマホのそのアプリが、それを使っているヒトの心を邪魔しただけでなく、何か理解できないことを指示し要求したのである。スマホアプリは、通知を出し放題である。利用者は、それらのほとんどを必要としていない。

こういう逆操作は、ヒトが選んでいるという建前であるため、なおさらたちが悪い。そもそも、道具のほうが勝手にヒトに何かをプッシュするというのは、ヒトの意図に反することである。ヒトがコンピュータを操作する関係は、逆に意図を無視した情報の流れも増長している。広告ビジネスモデルは、機械がヒトを操作することを公然と許している。

第3章のまとめ

- コンピュータが、データのディジタル化をもたらした。その上のインターネットで、誰でも交信・共有できるようになった。これらは、ほかの抽象物を融合して、変化を続けている。

- コンピュータは、エリートが知能を拡張する道具として始まった。今やスマートフォンを誰もが使う時代である。エリート前提のインターフェイスは限界がある。

- コンピュータの操作は、目的達成までに、抽象的概念からなる中間ステップ（手段）が多い。手段をデザインの一部にするのは、作り手の立場から出ない。目的をデザインのゴールに据えることは、利用者の視点を重視することである。手段をデザインの一部にすると、ヒトがコンピュータに合わせることになる。目的をデザインのゴールに据えれば、コンピュータをヒトに合わせられる。

- コンピュータの操作を目と手指だけで行うのは、不自然である。

- 現在のコンピュータ・インターフェイスであるGUI（グラフィカル・ユーザー・インターフェイス）は、ヒト生体の利点の多くを利用していない。

- 日常的な道具は、物理的、社会文化的、論理的、意味的な制約によって、使い方が明確である。一方、コンピュータのインターフェイスは、制約が少ないところで抽象概念を構築するので、デザインが難しい。

- GUIのアイコンは、表現力に限界があり、分かりにくい。

- 現在のコンピュータのアプリや機能は、利用者の利用目的から遊離した、内部のコンピュータ特有の操作概念を使い手に押し付けている。

- GUIのメニューは、ヒトが負荷なく扱える、3個か4個を超えた項目数のものが多い。

- スマホのGUIは、意味が不明なジェスチャーがあったり、操作と意味の対応関係がねじれていたり、複雑である。

- 現在のコンピュータ・インターフェイスでは、利用者が操作されるということが簡単に起きる。

第4章
操作から会話へ

1 会話モデル

操作から会話へ

ここからは、コンピュータのユーザー・インターフェイスというよりも、ヒトと、ロボットも含む知的な機械のインターフェイスというテーマとして議論する。そのテーマは、ヒューマン・マシン・インターフェイスとかヒューマン・マシン・インタラクション（HMI）とかいわれる分野である。

コンピュータという道具は、エリートの知能拡張のツールとして始まった。従来の道具同様、目で対象を見て手で操作し目で結果を確認する。エリートなので、操作時のユーザー・インターフェイスが抽象的で難解でも、それでよかった。しかし、今は万人がこれを使う時代になった。用途も、ヒトの情報流通や、生命に関わるライフラインである。

ヒトは、普段、誰でも、日常的に自然に行っていることが2種類ある。ハサミなど道具を操作することと、ほかのヒトと会話することである。

道具が比較的単純で分かりやすいものであれば、ヒトが道具を操作する関係に問題はない。しかし、道具が高度に複雑な場合、ヒトに認知負荷がかかる。現在の知的な機械およびそのユーザー・インターフェイスの諸問題を、前の第３章で見てきた。やりたいことを機械特有の抽象的な概念レベルへ対応付ける必要がある。アイコンでは表現に限界がある。メニューは掃きだめである。操作と意味の対応関係が複雑である。操作しているつもりで、逆に操作されるリスクが高い。もはや限界に近い。

他方の会話はどうか？　ヒトは日常的に自然に行い、認知負荷はない。

知的な機械のほうはといえば、言葉を理解し始めている。

もはや、ヒトが知的な機械を、抽象的な概念を介して操作する関係ではなく、ヒトのように日常的な言葉で会話するパートナーという関係のほうがフィットする。

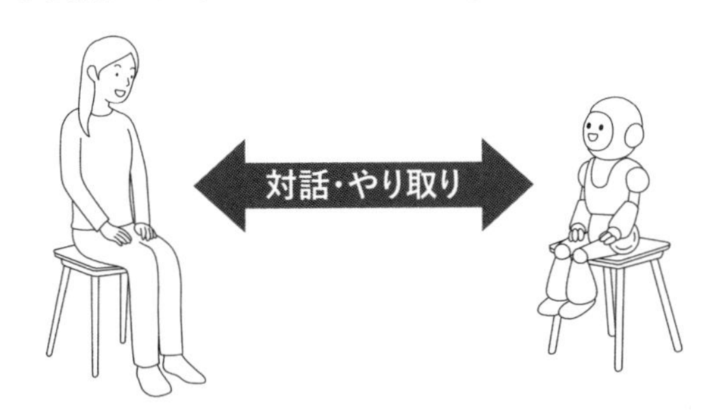

図：会話モデル

操作と会話は、以下のように異なる。

- ヒトが道具を操作するとき、その関係は、一方向である。それに対し、会話関係は双方向である。
- ヒトは、ヒトに何かやってほしいとき、そのやってほしいことを言う。ヒトは、日常的な話し言葉で意図を表現する。認知負荷がない。意図レベルの表現は、コンピュータに構築された抽象的な概念階層とは無縁である。
- 操作では、指示をして結果を得るまではブラックボックスである。そこで逆方法に操作される危険がある。それに対し、会話のやり取りであれば、意図から外れた作為があれば、すぐ気づく。機械に操作される危険は小さい。

- ●指示命令を一度伝えて結果を待つ、のではない。意図を伝えて反応を確認しながら働きかけることを、繰り返す。
- ●操作は、主に目と手で行う。しかしヒトは、自然な状態では、環境に対し五感を総合して身体で反応する。意図も、身体を使って、口振り（発話)、目振り（注目)、身振り・手振り（ジェスチャー)、表情で表現する。会話では、ヒトの生得的な身体能力をあるがままインターフェイスにする。

	操作	会話
利用者	エリート	一般のヒト
用途	知能の拡張、情報処理	情報の流通、ライフライン
方向	ヒトから機械へ一方向（逆関係が潜む）	双方向
表現	コンピュータ特有の抽象概念	ヒトの意図
交信	指示命令と結果解釈	意思伝達と反応の繰り返し
接点	目と手	身体

表：操作と会話の比較

実現技術はすでにある

会話の関係になるには、もっとハイテクが必要では？　いや、すでに技術はある。

意図は、音声言語で自然に表現される。音声認識技術はある。音声インターフェイスを普及させればよい。

ヒトと機械が自然言語で対話する技術は大規模言語モデルと

してすでにある。

音声による意図表現は、一見曖昧に見える。音声認識で、アプリが組めるのか？　組み方を変えればいいのである。すでにある技術を、ちょっと視点を変えて、デザインをすればよい。この点は後述する。

さらに、身振り・目振り・手振りに反応するには？　ヒトの身振り・目振り・手振りは、発話とともに意図を表現する。それを捕捉するには、知的な機械に目と耳をつければよい。パソコンもスマホも、カメラとマイクをすでに備えている。モニター付きスマート・スピーカーもある。目と耳を持つロボットも出始めた。このように目と耳を持つハードウェアはすでにある。また、掃除ロボットに目をつけて、ヒトがあっちを掃除してと指示することは、技術的に今でも実現できる。後はアプリのデザインである。

2 音声による意図表現

意図レベルのやりとり

ヒトが知的な機械と会話するという関係では、音声が重要な役割を果たす。音響言語の発生は、ヒトの社会的知能を発展させた。機械は、ヒトの発話を理解し始めている。従来の道具とは、質的に異なる性質である。機械が言葉でヒトのパートナーとなれば、ヒトと機械道具の関係は不可逆的に変化するのではないか。

GUIでは、まず意味不明なアイコンを選ぶ。さらにアプリの中の抽象的な概念に潜り、渡り歩く必要があった。それらが認知負荷となっている。

一方、日常生活空間では、音声言語は意図を自然に表現する。話し言葉で一見曖昧と見える部分は、話す相手や周囲の状況などのコンテキストで、実は明確である。目と耳を持つ知的機械ならば、そういう状況をも利用できる。また、質問などによるやり取りを利用して、意図解釈ができる。

GUIでは、意図が明示的でないので、ドナルド・ノーマンの行為７段階説の(3)～(6)という中間段階が必要だった。利用者がそこを負担していた。音声ならばステップ(2)での意図が明示的である。そして、道具のほうでできるならば、やってしまって直接ステップ(7)に行くこともできる。これにより認知負荷は減らせる。

音声のみのアプリの諸限界

スマート・スピーカーが出て、音声でやり取りするアプリがある。スマホの音声アシスタントもある。いずれも、当初、音声のみのインターフェイスだった。音声のインターフェイスを、ボイス・ユーザー・インターフェイス、略してVUIという。

VUIでアプリを組む場合、それ特有の工夫が必要となる。以下などである。

- 音は消え、視覚のように再認できないので、解釈した意図を反復し確認をとる。
- 音を聞き取って理解した、あるいは聞こえたが解釈できなかった、などという、フィードバックを返す。
- 現在、何をしゃべってほしいのか、促すメッセージ（プロンプト）を出し、反応を促す。

ところが、音声だけでアプリを組もうとすると、利用シナリオが簡単なものに限定される。例えば、天気予報を聞いたり、メモしたり、店舗の営業時間を聞いたり、アプリを起動したり、音楽を鳴らしたり、などである。なぜなら、音声のみのやり取りでアプリを組むことには、以下の課題がある。そのため、複雑なアプリ構築ができなくなってしまう。

- **モードの制御がやりにくい。**

  音声のみだと、音声を機械に聞かせている状態なのか、そうでないのかの区別ができない。また、機械への指示コマンドなのか、文を記録させるためのテキストなのかの区別ができない。さらに、これらの状態の切り替えもやりにくい。「OK Google」とか「Hey Siri」とか言って、音声聞き取りを始めさせるのは、不格好では？　マイクの絵をたたいて始めるほうが自然である。機械が聞き取ったよというフィードバックも、視覚的な反応もあったほうがヒトはすぐ理解できる。

- **そもそも空間的な位置指定ができない。**

  ヒトは、指差しや、マウスで、空間の位置指定を容易に行うことができる。しかし、それを音声でやるとなると、曖昧な指示か冗長な指示しか表現できない。

- **アナログ量の制御が苦手である。**

  アナログ量は、空間的な概念である。指つまみで簡単に指定できるボリューム量などは、音声言語で制御するのは難しい。位置指定と同様、空間的な情報は空間的な手段で扱ったほうが良い。

●構造的な情報を扱うのが困難。

視覚は複数個の並列処理ができ、構造を記憶できる。一方、聴覚は逐次情報を対象とし、一度にたくさんのことを相手にすることは苦手である。構造は、複数の要素と関係からなる。フォームや手順は構造的な情報である。構造的な情報を扱うのは、音声＋聴覚は苦手である。

例えば、フライトを予約したい。日時と人数を指定する。出発場所と到着場所を指定する。その上で、値段込みの選択オプションを検索する。それら関連した情報を機械に指定する過程で、ある時点までに何の指定を済ませたか、何がまだなのか、を意識していないと、情報の指定がやりにくい。すでに指定したものは、画面上で、目に見えておいてほしい。

●多数からの選択が困難。

上記と同じ理由で、３個程度より多く選択肢がある場合、視覚的な補助なしに選択を行うことは困難である。

●同音語で困難。

キーボード入力の場合のかな漢字変換は、選択・修正機能が統合されている。音声入力は、選択・修正機能がまだ発達していない。そのため、人名入力や地名入力など同音語が多く、表記を選ぶ必要があるケースでは、認識結果はまずエラーとなる。

- **情報の性質によっては困難。**

  例えば、商品の色合いや形状を示す必要があるとき、音声で説明するのは無理である。扱う情報によっては、必然的に視覚的なプレゼンテーションをしないといけない場合がある。

こうして、音声のみで機械を操作し何かの処理をしようとしても、まず無理である。

VUIは、特にオフィスでの利用時に、また別種の課題がある。第一に、発声は周囲の近くのヒトに聞かれるため、プライバシーが保てない。第二に、発声は周囲のヒトへのノイズになる。ただ、これらの欠点を解決する技術はある。一つのアプローチは、サイレント・スピーチという。口パクするだけで、口腔周りの運動をとらえて、通常のように音声認識する。二つめのアプローチは、音声キャンセル技術である。これは発声された音をちょうど打ち消すような空気振動を発生させて、周囲に音が漏れないようにする。近いうちに、コスト的に合う解決策になると思われる。

視聴覚を融合する

ヒトが環境に対するとき、複数の感覚と効果器を総合して認知し反応する。ヒトの言語は、発生からして視聴覚が融合している。音声を使ったアプリを作ろうとしたら、実は、指や視覚による空間的・視覚的な能力を併用せざるを得ない。

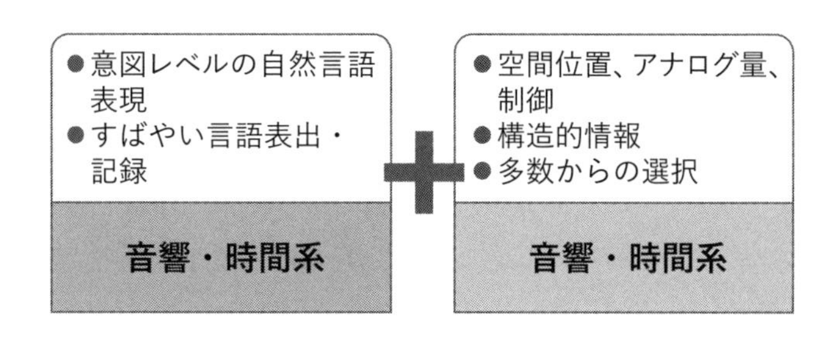

図：視聴覚融合

ちなみに、ヒト同士の交信でも、相手のヒトが見える視聴覚融合が望ましい。ヒトの表情は、社会的な活動で特殊な役割を果たしている。視線によるアイコンタクトも、ヒト社会の基盤である。電話の音声は、顔は見えないが、個性と意図と感情が伝わる。ところがその後、メールなど文字越しの非同期通信が利用されるようになった。これらは間接的で形式的な文字言語越しであるため、顔も個性も意図も感情も伝わらない。今ネット上では、論理を戦わせるより先に相手を罵倒することが平気で行われるようになった。そこでは、相手の顔と目を見つめて会話するときの直接性がなく、相手が生身のヒトであるという感覚が失われている。

音声アプリも手掛かりと制約を利用すればよい

ドナルド・ノーマンによれば、日常的な道具は、以下の３つを利用しているため、使い方を教わらなくてもヒトは使えると[D.A.ノーマン，1988]。

- 手掛かり（アフォーダンス）：何ができるかを示す。ハサミの穴は指を入れる場所であることを示す。椅子はヒトが座る場所を示す。ドアの平たい金具は押して開けることを、取っ手の金具は引いて開けることを、ヒントとして発信している。

- 制約：選択肢を制限する。穴の大きさは、1本指を入れるという制約を課している。椅子は、背もたれのないほうが前面で、背もたれのほうに膝を投げ出すことはできない。ドアは、そこでしか出入りできないという制約を示す。
- 概念モデル：ハサミは、２つの刃が交わって切るという仕組みが目に見えるため、何をする道具なのかはヒトにとって容易に理解できる。椅子は、座るのにちょうど良い高さであることで、腰掛に利用できることが分かる。ドアは、ヒトが家を持ち始めた時からの道具であろう。空間に出入りするための道具であると、子供でも理解する。

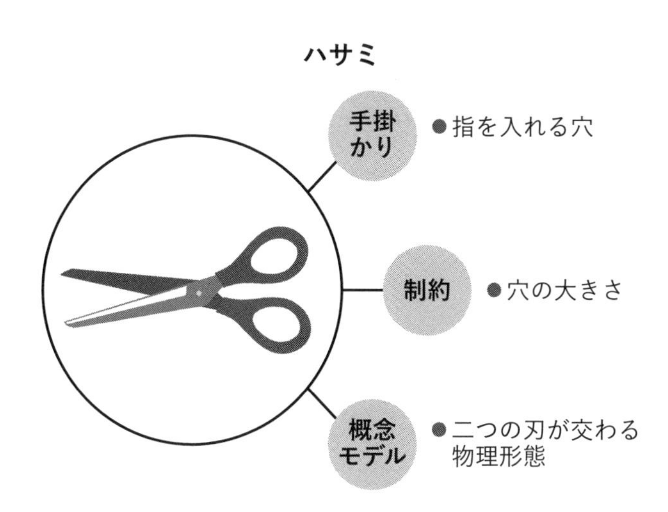

図：ハサミの手掛かり、制約、概念モデル

GUIでは、見えているものが手掛かりであり制約となる。キーを下に押し下げること自体は、何のための動作か曖昧である。しかし、Aと刻印されたキーを押し下げることは、Aのタイプとして曖昧性がない。また、GUIでは、メニューや画面遷移が操作のコンテキストになる。あるメニュー項目を選択することの意味には曖昧性がない。そのように、手の動作はそれ自体には意味がないが、視覚情報やコンテキストによって制約されて意味が明確となる。そのような明確な動作によってアプリが編み上げられる。制約が強いとアプリが組みやすいのである。

グラフィカルインターフェイスのアプリ

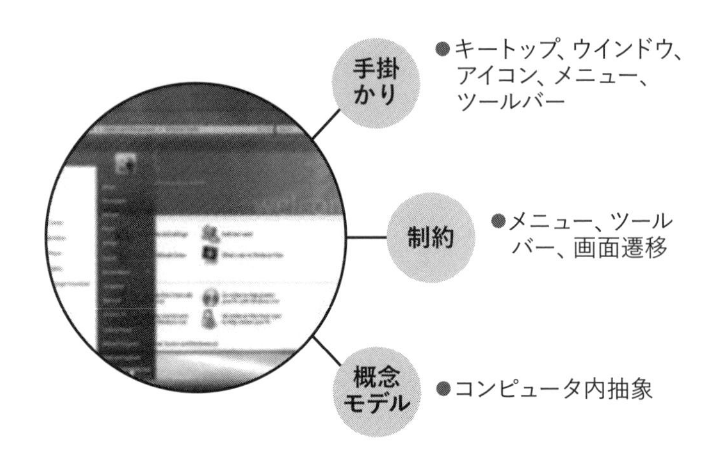

図：GUIの手掛かり、制約、概念モデル

音声を利用するアプリは、音声だけを考慮してはいけない。GUIと同様に、メニュー(ただし4個まで)や画面遷移や問い返しという、視覚やコンテキストによる手掛かりと制約を活用すればよい。これらの制約を利用すれば、曖昧性をなくすことができ、アプリの構成要素にできる。視覚、手、音声、それぞれ得意なことはそれぞれに任せる。プロンプトなどの情報提示は、音声と視覚と両方で行うこともよい。

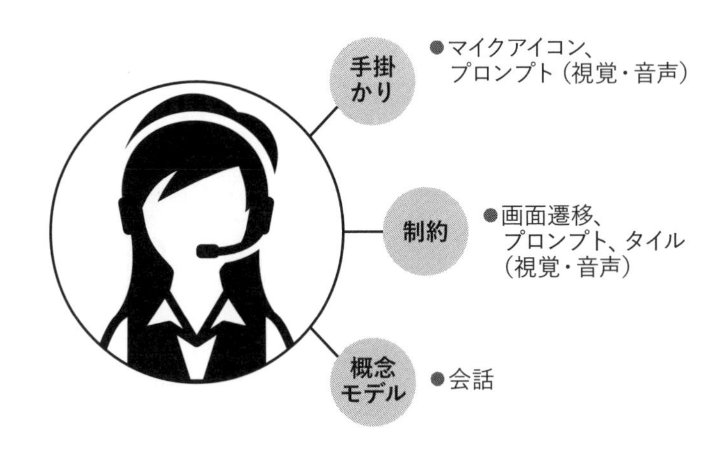

図：音声を利用するアプリの手掛かり、制約、概念モデル

音声アプリは、特定のタスクに特化したアプリと、汎用でおしゃべり相手的なものとに分類されることがある。アカデミアの世界では、特定のタスクのものは泥臭く、汎用のものはハイテクでかっこいいというニュアンスで語られる。しかし、利便性を追及する実用的な観点からすると逆である。

特定のタスクに特化したものは、通常以下のような処理構成をとることが多い。

●フレームといって、タスクの目的達成に必要な情報を埋め込むスロット（枠）を持つデータを持つ。

- 利用者の発話から、時間や場所表現、また固有名詞などのエンティティ（実体）を抽出し、フレームを埋める。
- 音声でやり取りする対話のフローは、フレームの足りない情報を補うように制御される。欲しい情報に関する利用者の発話をプロンプトし、獲得した情報を確認し、必要な情報を視聴覚で提示（フィードバック）しつつ、画面を遷移して次のプロンプトを発し、対話の流れを進める。

視覚やコンテキストによる手掛かり（プロンプト）と制約（画面遷移と次のプロンプト）、そして指による制御などによって、そこでのやり取りはアプリの明確なパーツとなる。それらを組み上げればよい。

音声を利用するアプリは、意図レベルでやりとりするので、誰にも分かりやすい。そして、今のGUIでの抽象的で複雑な内部概念群を隠すことができる。

なお現在、大規模言語モデルが、汎用の対話人工知能として、急激に進歩している。汎用対話人工知能が、特定タスクのための音声アプリの構成要素を包含してしまい、それらの区別はなくなるかもしれない。

音声アプリで広範囲の制約が利用できる

従来のGUIアプリは、論理的・意味的な制約しか使えないことが原因で、内側の概念構成を非常に複雑にしてしまった。しかし、アプリ内在構成要素だけでなく外在する要素にも目を向けると、音声アプリの組み方で、GUI操作よりも有利な点もある。

1回限りの操作に比べて、やり取りが続く会話では、ヒトに次に何が起きるかという期待と予測が生じる。音楽は、過去の記憶と未来の予測との相互作用で、今が決まる。同じように、音声アプリも、ヒトの時間を使える。これが、アプリを組むときに、利用できる制約に追加できる。手指操作にない要素である。

また、音声だけに限らず、表情、視線や身体ジェスチャー込みでやり取りをすれば、アプリの構成要素や、やり取りの流れの予測だけでなく、もっと広範囲のリアルな状況を制約として利用できる。

意図を示す表情、視線、声音、ジェスチャーは、もちろん利用できる。また、ヒトのいる3D空間内位置は、制約となる。例えば、それによって「あっち」の意味が確定する。「寒い」の意味は、リビングの空調のせいなのか、職場の空調のあるフロアーの設定なのかが確定する。また、時間も制約できる。「消して」は、夜、就寝時刻より後なら、室内灯のオフの意味である。「あと10分で雨が降ります。洗濯物をしまいましたか？」という警告を出すタイミングは、現在の自宅の位置とその土地の降雨予報と、朝から晴天だったかどうかによる。ヒトの行動記録もまた制約になる。「さっきのオーダーをキャンセルして」は、過去1時間くらい以内に商品注文を入れていたら、直近のそれである。

以下に、横軸にアプリ内在か外在かの軸、縦にドナルド・ノーマンの制約の種類(第3章❷)の軸をとり、プロットしたものを示す。GUIで、キーボードとモニターに手と目で張り付いていては、外在の制約の多くは利用できない。機械に目と耳を持たせて、会話するデザインアプローチをとるべきである。

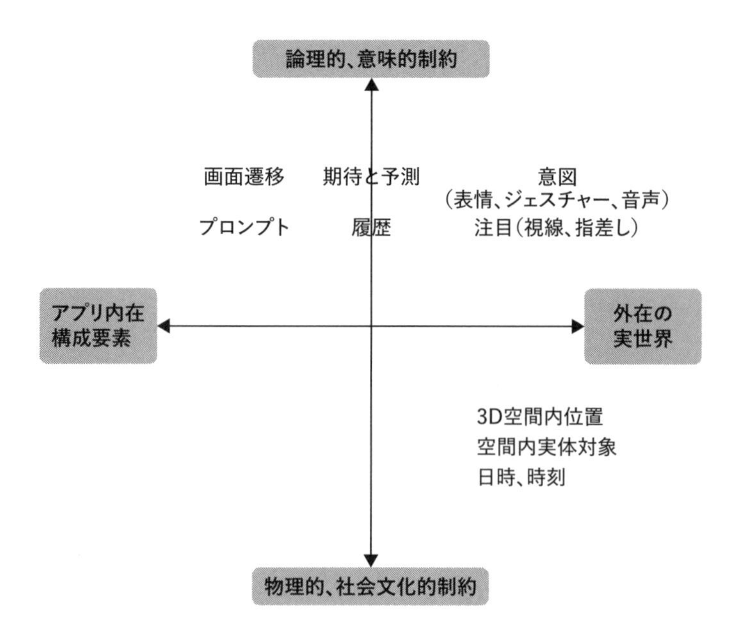

図：音声アプリの利用できる諸制約

アプリの制約が多いということは、豊かなコンテキストがあるということである。ヒトから見ると、そういうコンテキストがあるアプリの動きは単純で分かりやすい。

音声で文章を構成できる

文書作成時に音声を利用することに関して、従来から議論があった。発声のテキスト生産速度は指の５倍である。そのため、音声を使うと文書を作成する時間が短くできるという考えがある。他方、ヒトは、考えながらしゃべるのは難しい。そのため、音声認識は文書作成には使えないという考えも一方にある。ただ、一瞬考えて、それをしゃべる、そしてそれを繰り返す、という時分割なら、ヒトはうまくできる。

文章を考えるのには熟考が必要なので、実は、音声表現は文書作成の時間を短くすることはない。だが、音声表現はアイデアを素早く完全な形で記録することができる。たとえ誤認識でノイズが多くても、文であるため、後で編集するときに何を言ったか想起しやすい。音声言語表現は、頭の中にある概念を忘れないうちに目に見える形で取り出して、編集可能な形にし、考えを発展させられるようにするために、いい手段である[野口悠紀雄, 2022]。

つまり、ヒトは考えてしゃべるという時分割処理を利用して、素早く音声表現を記録して、後で校正するというやり方で、効率的に文書生産ができる。

視聴覚融合のユースケース

以下、音声と視覚を融合したインターフェイスによってユーザー体験がどう変わるかを、いくつか例示する。インフラの進歩を前提とするものは、前提事項のところに記す。だが、ほとんど、デザイン次第で、今でも実現可能なシナリオである。

●料理レシピ

Before：台所でレシピを見ながら、調理をしている。次の手順や、火にかける時間を確認したい。もう手は濡れている。現在のレシピアプリは画面で手順を示すだけである。そのため、全部覚えきれない。何度も見たいが、手が濡れてできない。結局、手を拭いては、スマホかタブレットを見て、を繰り返す。モニターは汚れる。調理動作のタイミングを失して、投げやりになって適当に調理することになったりもする。

After：レシピアプリは、会話型にデザインされている。濡れた手を使わずに、「あれやったけど、次は何？」に対して「次は、これこれです」と教えてもらう。モニターで、手順の全体図とやったこととやっていないこと（構造情報）を確認する。

注：手順という時間のある構造情報は、視覚でやり取りしたほうがいい。最初から視聴覚前提で会話フローを設計すれば、今でも作れる。

●スマホのラウンチャー

Before：買ってきたスマホに電源を入れると、たくさんアイコンが並んでいる。そのうち、電話、カメラはすぐ分かる。それ以外、アイコンを見ても、何を意味するのか分からない。使わないので、調べもしない。邪魔なだけである。

After：電源を入れると、マイクと、いくつかのタイルがあるだけで、画面にアプリのアイコンはない。マイクをたたいて、やりたいことをしゃべる。問い返しが何度か来るが、答えたり、指で選んだりして、会話し、用が済む。

注：あいまいなアイコンぬきで、音声で直接意図を伝える。

スマホのビジネスモデルを変える必要があるが、技術的には今でも可能である。こういうローエンド型イノベーションが今出てきても不思議ではない。現在のスマホは使いにくいということに気づけば、実現する。

●スマホの画面ロック

Before：生体認証、指紋、顔、コード、パターンとか、何言っているのか分からない。危険だといわれているが、面倒だしやり方が分からないので、スマホの画面をロックしないでおく。ある日、スマホを公衆トイレに置き忘れた。警察に届けたが、落とし物として見つかることはなかった。連絡先とか、銀行のアプリとか、いろいろ入っていた。中の情報とともに、裏のマーケットに流れたかもしれない。

After：「画面ロックしたい」としゃべる。音声ガイドとともに、どういう選択ができるかが表示される。選んだり、答えていくと、画面ロックの設定ができていた。

注：メニューやツールバーという抽象概念ぬきで、意図を直接処理する。プラットフォームの開示API次第であるが、技術的にできないことはない。

●フライト予約

Before：航空会社のページを検索し、あれこれのボタンやメニューの中から、予約メニューをようやく探し出し、クリックする。予約情報を予約フォームに埋める。中でも、都市名とかの固有名詞をキーボードから入力するときは、手間がかかる。

After：「飛行機の予約をしたい」としゃべる。「いつですか？」「どこからどこへですか？」に対し、答える。選択肢が多かったり、足りない情報があれば、コンピュータ側が問い返して、意図を詳細化していく。今答えてほしい情報は、画面に表示されるので、何をすればいいか分かる。選択肢が３、４個に限定できるものなら、ボタンが表示されるので、選択も楽である。すでに利用者から聞き取ったことやまだ足りない情報は画面に表示されるので、利用者が今どこまでやったかが分かり、これから何をしないといけないかが分かる。

注：複数項目からなる構造情報は、視聴覚でやり取りする。

● スマホの設定

Before：（壮年の場合）音が出なくなった。設定アプリを起動し、画面のメニューから音声関係を探す。ためしに、あるボタンを叩いてみる。違った。別のをたたいてみる。またメニューがある。これかなと思い、たたく。これだ。

（高齢者の場合）音が出なくなった。どうしていいか分からない。どこをどう変更すればいいか、怖くてどのボタンも押せない。前にもやった気がするが覚えていない。

After：「音が出なくなった、戻して」としゃべる。診断プログラムが起動され、適当に設定を変更してくれる。それで済む。

●スマホ通知のコントロール

Before：ピコピコと通知が来て件数が出てきたり、気になってうるさい。が、消し方が分からない。

After：「通知消して」としゃべり、用を足す。

●予約登録業務

Before：会員制のコミュニティでサービス予約管理をする。サービスの利用者は一日当たり40名前後。1ヶ月分で約千名分のデータ。1ヶ月単位で紙に書かれた予約帳のデータを入力し、オンラインにする。WEBのフォームを開き、ポチポチとサービスの種類、日時などのメニューを選び、人名を入力する。特に人名という固有名詞は入力に時間がかかる。作業に慣れてもほぼ終日かかる。

After：コンピュータに会員名簿の辞書を仕込む。日付、サービス項目の選択や人名、すべて音声で指定する。誤認識によるやり直しも含め、2時間くらいで済む。

注：日本語のように表意文字言語だと同音語が多い。人名、地名などの固有名詞の入力は手間がかかる。それは音声でも同じである。ただ、メンバーが限定できるなら、そ

の制約を利用して、辞書登録で曖昧性をなくせる。後は、ポチポチと指でやる手間よりも、音声のほうが素早く入力できることを利用できる。

●テレビの視聴者参加番組

前提事項：テレビがスマート化して、カメラとマイクを持つ。あるいは、テレビがスマホと連携する。

Before：テレビの視聴者参加番組が、質問を視聴者に投げかけた。3択である。その選択肢が表示される。画面の案内で、色付きボタンを押せばよいと分かる。テレビのリモコンとその上のボタンで回答を送信する。

After：視聴者は、「1番」と話しかけるだけ。たくさんボタンが乗ったリモコンは、もういらない。

●バス時刻表

Before：バスの停留所に向かうとき、バスの時刻表を見たい。「バスの時刻表」と話しかける。音声アシスタントは、時刻表アプリかサイトの候補を返してくる。お気に入りのWebアプリは決まっているから、それを選ぶ。停留所名をポチポチと検索入力し、行き先をポチポチと検索入力し、時刻帯を指定し、それで、やおら、バス運行時刻表をみられる。

After：「バスの時刻表」と話しかける。最初に使ったときに、「このアプリ・サイトを今後も使いますか」と聞いてくれた。２回め以降は、そこが直接開く。現在位置は、GPSで、どの停留所に近いのかは、分かる。それが、デフォルト設定される。現在の時刻で、時間帯もデフォルトで設定されている。行き先は、確認が来たので、近距離の駅名を答えた。それだけで、望んでいたバス運行時刻表のページが出た。

注：位置や時間を制約として利用できる。GUIのアプリでもこういったリアルな諸々の制約を利用できるはずだが、利用者の意図にこたえるという発想でなく、利用者が指定・操作するという発想のためか、そういうアプリはあまり見ない。デザインを変えるだけで、快適なアプリになる。

●買い物リスト

Before：買い物するものをメモする。「大根を買う」と話しかける。現在のスマホの音声アシスタントだと、近場のスーパーから選ばせようと、地図アプリへ誘導しようとする。しかし、いつも野菜を買う店は決まっている。どこにあるのかも分かっている。スーパー・マーケット店舗への誘導（広告）は今はいらない。今はメモしたいだけである。メモアプリを起動して、そちらで用を足した。その後、夕食の調理の時間が近づいた。買い物リストには、食材が何件かたまっている。近場のスーパーに出かけて、買い物をした。

After：「大根を買う」と話しかける。普段は近所の店舗に出かけていくことはなく、食材を宅配してもらう。その行動履歴をアプリは知っているので「メモしますか？」と問い返して「はい」と答える。メモできた。その後、夕食の調理の時間が近づいた。買い物リストには食材が何件かたまっている。買い物リストの画面を開いて「宅配して」としゃべる。店と、項目の値段と外見と、表示されるので確認し、「注文」する。

注：音声ベースの買い物リストアプリがあって、ローカルな地域ビジネスが宅配ビジネスをやっていて、アプリとビジネスがタイアップすれば実現できる。

●高齢者の移動補助

前提事項：仮に、一人乗り電気自動車で自動運転機能がついたものが安価に普及したとする。また、そういう乗り物が交通インフラのセンサー群と連携していて、安全で混んでいない通り道をえらんでくれたりするとする。

Before：現在、高齢者は、ちょっとした買い物や、通院・薬局への移動など、移動の手段に困っている。高齢のために、自動車を運転しなくなっているからである。一人乗り自動車がある。ところが、行き先を設定したりする制御パネルが、パソコンやスマホの画面みたいで、高齢者には操作が難しく、結局利用できない。

After：制御パネルに乗っているアプリも、視聴覚融合で、意図レベルのやりとりができるようにデザインされている。高齢者でも、難なく、安全に、移動ができる。

注：いわゆるスマート・モビリティは、視聴覚融合のインターフェイスへの変化なしでは進まないだろう。スマート・シティ、スマート・ホームなども同じである。仮想現実、拡張現実、複合現実などと呼ばれるアプリも、インターフェイスが自然でなければ、広まるのは難しい。

3 ジェスチャーによる意図表現

注目は重要な制約

音声以外に、意図を表現するときに重要な役割のものがある。ヒトは、視線で注目する。また、指差しで注目対象を示す。第1章でみたように、このような注目行動は社会的な知能の基礎となった。注目行動は、会話の中で、相手の意図を解釈するときの重要な制約となる。コンピュータがヒトと会話するとき、この制約を利用しないという手はない。

視線は操作手段ではない

ヒトの視線は素早く動く。手指が動かせないハンディを持っていても、目を動かせるヒトはいる。また、健常者でも、指とマウスは指の機械的速度と距離に制約される。一方、視線は距離に束縛されない。そこで、画面の位置選択などに利用されたことがある。また、まばたきを操作手段として、ゲームのミサイル発射の指示として利用されたこともあった。

しかし、ヒトの目は本来、受容器官として進化したものである。それを不自然に操作手段として使うと、以下の不具合が出る。

- 受容器官としての働き以外のことを期待するのは、ヒトに不自然な動作を強いることになる。目は、微動もあり、複雑な動きをする。視線が、ある時間、ある範囲にとどまったことで対象を見たと判定するしかない。位置指定の操作手段として使うことは、少し見つめろというルールを強制することになる。不自然な動作は、疲労に導くし、慣れるまで学習を要する。
- 目だけを操作手段とすると、位置指定や選択という視線を使った意識的な操作なのか、単に探索しているための目の移動なのか、状態の区別を機械に伝えるのが難しい。ギリシャ神話のメドーサは、見たものを石に変えてしまう。注目して確認したくても、確認する前にどれも石に変わってしまっている。それと似たことが起きる。状態を区別しないと、目にしたものはすでに選択されてしまっているということになる。ペンアプリで、ペンがマウスの代わりで選択をするのか、ストローク描画なのか、状態をいちいち区別する。同じような制御が必要となる。

目には、効果器としての役割を求めるのでなく、進化してきた受容器のまま生かすべきである。視線は空間的な注目箇所を示す。目に「見て選ぶ」役割を負わせるのでなく、「見た」をそのまま利用する。また、視線は「まなざし」として、対人的な情報を伝えることもする。動物でさえ、まなざしで意思を伝える。機械も、まなざしをヒトの意図を示すヒントとして利用すればいい。

視線のユースケース

以下、視線による注目対象の検出を利用すると、ユーザー体験がどう変わるかを、いくつか例示する。前提として、ヒトが何に注目しているかを検出するため、機械に目（カメラ）と耳（マイク）がついているとする。

●たくさんのリモコン

前提事項：室内に、パソコンか据え置きスマホがあり、それが目と耳を持っているとする。あるいは、室内にコミュニケーション・ロボットがいるとする。いずれかがスマート・ホームのコミュニケーション・ロボットになっていて、ヒトのジェスチャー、音声をモニターしているとする。

Before：部屋にいくつか電化製品がある。そのリモコンが複数散らかっている。「あのリモコン、どこ？」。

After：そのとき、ヒトがエアコンを見ながら、「つけて」といったらエアコンをつけるという意図である。部屋の明かりをつけるという意図ではない。

注：ヒトは、まなざしで相手を選ぶ。視線は、意図の強い制

約である。また、３次元空間内部の物理的配置も制約になる。

●広告の無害化

前提事項：スマホがそのカメラで、ヒトの視線をモニターしているとする。

Before：スマホでニュース記事を読んでいる。画面上部のテキストを読みつつ、スクロールするため画面下部の画面に触れる。たまたま指が触れたところに、広告枠が表示されていた。突然、画面が切り替わり広告が表示されて、びっくりする。おいおい。

After：スマホでニュース記事を読んでいる。画面上部のテキストを読みつつ、スクロールするため画面下部の画面に触れる。たまたま指が触れたところに広告枠が表示されていたが、広告を見ていないのでスクロールした。

●たくさんの候補からの選択

前提事項：スマホのアプリで、テレビのモニターを使ったビデオ会議ができるとする。

Before：テレビ画面に連絡先の人物の写真がいくつか表示されている。リモコンの方向キーを使って、左右へスクロールして、相手を探す。相手を選択したら、確認画面が出て、Enterで確認する。会議を起動するかというプロンプトが出て、Enterで確認を送る。

After：視線がきょろきょろと動いているとき、画面の端を見れば、その方向へ画面はスクロールする。視線がある連絡先に注目したら、この連絡先を選択するかと音声と画面で聞いてくる。「うん」という首のジェスチャーによって確認をし、ビデオ電話を起動する。

●ビデオ会議でのヒト選択

前提事項：ビデオ会議アプリが、視線をモニターしているとする。

Before：ビデオ会議中、特定のヒトに連絡をしたくなった。チャット機能を使い、そのヒトを選択し、タイプして相手だけにメッセージを送る。

After：特定のヒトが映っているところを見て、しゃべる。音声はそのヒトへのみつながる。

●指示相手装置の選択

前提事項：家の家電は、それぞれ目と耳を持つ。ないし、目と耳をもつコミュニケーション・ロボットを介して、連携している。

Before：お掃除ロボットのところへ行って、ボタンでオンにし、掃除を始めさせる。

After：お掃除ロボットを見ながら「掃除して」としゃべる。

このように、視線、まなざしは、機械がヒトに対するとき、ヒトの意図を示す重要な手掛かりとして活用できる。

ジェスチャーは意図を示す

発話と視線以外に、表情、身振り、手振り、声音は、重要な会話手段である。指差しは、注目対象を他者と共有するという機能がある。表情によって感情を伝える。声の調子からも、感情が伝わる。感情は、ヒトから意図を読み取るときの手掛かりとなる。

知的な機械が、目と耳を持ち、ヒトとやり取りする。さらに、ヒトの大脳皮質だけでなく、身体を包むリアルな世界で、やり取りをする。音声アプリのところで見たように、ヒトとリアルな世界を一緒にとらえると、アプリが利用できる制約が豊かになる。

深層学習で観測情報の組み合わせも楽に処理できる

ヒト画像から、表情やジェスチャーを読み取る技術はすでにある。深層学習技術という技術があり、データ（観察）と結論（ヒトの意図）を学習させることができる。この深層学習への入力は、実数ベクトルである。この技術は、実は、複数の情報を総合する課題に適している。それぞれのデータのベクトルをつなげて入力すればよいから。

ジェスチャーのユースケース

以下、ジェスチャーを利用すると、どうユーザー体験が変わるかを、いくつか例示する。

●ヒトの行動に応じたオンオフ

前提事項：スマホのセンサーか、室内カメラで、ヒトの身体動作をモニターしているとする。

Before：ヒトが起きて活動を始めているのに、スマホの目覚ましアラームがなりうるさい。夜、ヒトが、もう少し起きていようと思いつつ横になった。部屋の明かりをつけっぱなしで寝てしまった。

After：起床後は、目覚ましアラームは鳴らない。夜、ヒトが就寝し、しばらくすると、室内灯やテレビ等が消える。

注：機械がヒトから指で指示を受けるだけの関係から、ヒトの身体を含む状況とやり取りする関係になると、それで可能になることは多くある。

●歩きスマホ禁止

Before：向こうから来るヒトが、歩きスマホをしていて危ない。

After：スマホがヒトの歩きを感知して、歩いている最中は利用できないようOFFになる。

●掃除ロボットへの位置変更

前提事項：掃除ロボットに目と耳をつける。

Before：現在の掃除ロボットは、ヒトがどこにいようとお構いなしに動き回る。足元にまとわりつく。

After：ロボットがヒトの足元に来てうるさければ、「あっちを掃除して」と、指差しで指示する。

注：3次元世界は、意図の解釈を助ける制約となる。例えば、ヒトが台所にいて、居間を指して「あっち」と指差したら、居間エリアである。機械がヒトのジェスチャーを見るように変われば、ヒトは機械と豊かな会話ができる。

●エアコンの風向き変更

前提事項：部屋にスマート・ホームのハブがあって、ヒトのジェスチャーをモニターしている。ないし、エアコンなど各家電がそれぞれ目と耳を持つ。

Before：エアコンの風がもろに当たり寒い。エアコンのリモコンを探して、天井へ風を送るようにした。

After：エアコンを見ながら、人差し指を突き出して、手で上へ上へと指示を送る。

注：まなざしは、注目対象を示す。指は、空間的な情報を与える。機械が目を持ちヒトをモニターすると、風向きの指示、音量調整など、音声のみでは難しいアナログ量のコントロールに利用できる。

●お手伝いロボット

Before：夕方庭作業をしている。暗い。庭にあかりを設置しようかと考える。

After：あかりドローンをオンにして、庭に出る。この相棒は、ヒトの動きに応じて、手元、足元を照らすように位置を自動調整してくれる。

注：ドローンはたいていカメラを備えている。カメラでヒトを写して反応するようなアプリを組み込めば、素晴らしい相棒になる。

●見守りロボット

前提事項：居間に、目と耳を持つコミュニケーション・ロボットがいる。

Before：高齢者が単身で生活をしている。スマホなどの機器、インターネットは利用できない。遠隔の家族は心配である。

After：ヒトの動きを感知し、毎日話しかけ、反応を記録する。遠隔の家族は、その記録をモニターしているので、心配がない。コミュニケーション・ロボットはテレビのモニターと連動する。音声で機械と会話し、親戚や友人とビデオ通話ができる。そのため、高齢者の孤独も解消される。

注：手と目の関係でなく、意図レベルでやり取りする関係になることは、とりわけ情報弱者を助ける。目と耳を持つコミュニケーション・ロボットであれば、赤ちゃんやペットの見守りにも使える。

●健康医療サービス

前提事項：リストバンド型の健康モニターが普及しているとする。

Before：高齢者が単身で生活をしている。スマホなどの機器、インターネットは利用できない。遠隔の家族は心配である。

After：心拍、血圧等、体調を遠隔の家族でもモニターできる。転倒事故を検出できる。行動、しゃべりから、認知機能評価もできる。

注：地域の医療サービスのネットワークがあれば、それに連結することで、健康・医療サービスの最適化ができる。医療サービスのネットワークは、情報をつなぐだけなの

で、技術的には可能だろう。それを実行する勢いが必要なだけだと思う。

●行政サービス、金融サービス

前提事項：日本は遅れているので時間がかかると思うが、行政サービスを、コミュニケーション・ロボットが、リビングのテレビモニターを介して、アシストするとする。自宅のGPS情報、生活空間で得られる生体情報（声、顔、指紋）などを使い、２要素認証以上に安全な個人認証ができると仮定する。

Before：高齢者は、行政手続きのため、マイナンバー・カードを持参して、役所に行く。お金をおろすため、銀行に行く。オンライン・ショッピングはやったことがない。移動がつらい。

After：見守りロボットが、音声でアシストし、ジェスチャーも読んでくれるので、行政手続き、オンライン・バンキング、オンライン・ショッピングも、自宅で一人でやれた。

行政手続きは構造的な情報を扱うので、音声のみでなく視聴覚融合インターフェイスが必要となる。

●備品管理

前提事項：商品には電子タグが付いて、常時追跡できるような社会インフラができたとする。商品の宅配もドローンとかで、当たり前になったとする。テレビのモニターを利用したコミュニケーション・ロボットが居間にいるとする。

Before：家庭には常備品がある。備品が切れそうになっても気づかない。

After：備品を買って家に持ち込むと、コンピュータが認識、記録してくれる。利用パターンを覚え、備品のストックが切れそうになる前に知らせてくれる。確認後、ドローンで配達された。

●買い物難民の救済

前提事項：高齢者はリアルでは外出しにくい。バーチャルなツールで、買い物ができるとする。商品の宅配も、ドローンとかで社会インフラになったとする。テレビのモニターを利用したコミュニケーション・ロボットが居間にいるとする。

Before：高齢者が自動車を運転できなくなった。500メートル以内にスーパー・マーケットがない。買い物ができなくなった。

After：リビングのTVモニタをオンにして、買い物アプリを呼び出す。店舗を仮想的に歩き回ることができる。買いたいものを見て、「これ買う」を繰り返す。食事を提

　供する店で、メニューを映し見る。夕飯に食べたいものを注文する。しばらく後で、ドローンが買ったものを届けてくれた。

　コンピュータ・ネットワーク上に構築した仮想空間というものは、現実ではできないことを可能にすることで、何かの課題を解決するときに効果がある。ヒトの脳は可塑性があるので、ヒトがそういう技術を当たり前に使うようになったら、どんな変化が起きるか想像できない。

第4章のまとめ

- 利用者と用途の広がりに即して、ヒトが知的な機械を操作するという関係は、限界がきている。操作から会話へと変わるべきである。会話は、双方向の関係である。会話では、日常的な話し言葉で、意図が伝達される。そこでは意思伝達と反応が繰り返される。機械は、ヒトの口振り（発話）、目振り（注目）、身振り・手振り（ジェスチャー）、表情、声音などに反応する。ヒトの身体がインターフェイスとなる。必要な技術はすでにある。

- 日常生活空間では、音声言語は意図を自然に表現する。

- 音声だけのVUIでは、複雑なアプリをくみ上げることは難しい。音声を使ったアプリを作ろうとしたら、指や視覚による空間的・視覚的な能力を併用した、視聴覚融合インターフェイスにせざるを得ない。

- 手掛かりと制約と概念モデルによって、ヒトは学ばなくとも道具を使える。音声を利用するアプリでも、視覚やコンテキストによる手掛かり（プロンプト）と制約（画面遷移と次のプロンプト）によって、アプリをくみ上げることができる。

● アプリは、内在する構成要素だけでなく、意図、注目、3D空間内位置、時間、履歴など、外在する広範囲の諸制約が利用できる。アプリの制約が多いということは、豊かなコンテキストがあるということである。ヒトから見ると、そういうコンテキストがあるアプリの動きは、単純で分かりやすい。

● 視線は、注目を示す。注目行動は、会話の中で、相手の意図を解釈するときの重要な制約となる。コンピュータが、ヒトと会話するとき、この制約を利用しないという手はない。

● 発話と視線以外に、表情、身振り、手振り、声音は、重要な会話手段である。これらも、ヒトから意図を読み取るときに手掛かりとなる。

終　章

❶ 機械と会話する

会話モデル

ヒトは、道具を操作し、自分の能力を拡張してきた。道具は環境の一部であるとともに、ヒトの身体の延長である。ヒトは、言語を生み出し、文字を生み出した。そして、コンピュータを生み出した。

コンピュータは、最初、エリートの知能の拡張のための道具だった。それは、情報処理装置と呼ばれた。利用するには、特有の抽象的な構築物を扱う必要がある。その後、データのディジタル化が進み、インターネットが生まれた。そして、現在、スマホの形態で、万人が使う時代になった。情報を流通させる道具となった。ライフラインでもある。（p.14『図：コンピュータの利用者と用途』を参照）。これに伴い、ヒトと機械の関係も変わるべきである。

ヒトには、生得的または訓練や社会的教育によって、自然と身に付く事柄がある。であるが、コンピュータの場合、作り手特有の抽象概念を操る必要がある（p.92『図：コンピュータ概念を含む行為』を参照）。そこでは、ヒトが道具のために合わせる。ヒトの日常の能力とは調和していない。しかし、そのような作り手概念は隠すべきであろう（p.93『図：コンピュータ概念のない行為』を参照）。

ヒトは、意図をもって道具を操作し、ある目的を達成する。一方、ヒトと会話するときは、自然と身に付いた能力で行う。また、会話では、意図を直接語り、やりとりする。道具の理想は、意図に応じ即座に目的を達成できることである。道具がヒトに合わせるとしたら、ヒトが意図を伝えたら目的をかなえられる関係が望ましい。それは、操作ではなく、会話の関係である（p.114『表：操作と会話の比較』を参照）。そのインターフェイスは、利用者視点である。そのとき、道具はヒトと調和している。

大規模言語モデルは、対話人工知能とも呼ばれる。それは望ましいやりとりを示している。

2 身体をインターフェイスにする

音声言語の活用

視覚は、生物史の中でも古い時代に発生した。ヒトは、その高度な性能を享受する。一方、直立二足歩行を始めたヒトは、手の器用さを発達させた。

ヒトの目と手は極めて優秀である。ヒトは、それらによって、道具を操作する。今日、ヒトはコンピュータをもっぱら目と手で扱う。その必然性は、ヒトに至るまでの進化を見るとうなずける。しかし、目と手だけの関係というのは、我々の普段の生活からすると、かなり限定された関係である。ヒトの能力はそれらにとどまらない。

霊長類は、社会的関係が強く複雑である。その中でも、ヒトは言語を生み出した。そして、言語を操り、より大きな集団を形成する。そこに社会的知能が生まれた。これがヒトを地球の支配者にしていく。その意味で、言語はヒトの行先を決定づけた（p.79『図：言語の効果：認知革命』を参照）。

ヒトは、社会的関係の中で成長すると音響言語を身につける。ヒトは対人関係の中で、意図を伝えて反応を確認しながら働きかけることを繰り返す。同じように、機械に対してもこの音響言語を使えれば、自然と機械に対することができる。

ただ、ヒトと音声でやり取りするアプリを組むには音声だけだと問題がある。そこで、視覚・手などと互いに得意なところを出し合うインターフェイス、視聴覚融合が必要である（p.120『図：視聴覚融合』を参照）。

ヒトの歴史上、音響言語はヒトを方向づけたが、知的な機械も言葉を扱い始めている。知的な機械が、ヒト文化の一員であるかのようになれば、大きな変化が来るかもしれない。

身体全体でインターフェイスする

ヒトが、馬に乗るときのことを考える。ヒトは、声の調子や、手によるスキンシップで、馬を安心させようとする。馬に乗るときは、あぶみの上で全身の筋骨でバランスをとる。鞍の上の体重移動や脚からの馬の腹部への刺激・圧力で、意思を伝える。手綱を腕で引いて、進行方向を伝える。馬の足並みに合わせて身体を上下し、馬のスピードに同調する。このとき、ヒトはいろいろな身体機能を使って、馬と対話している。馬は、ヒトの大脳皮質を相手にしているのではない。ヒトの身体を相手にしている。

ヒトと完全に調和した機械道具の場合、馬と何が異なるのであろうか？　ヒトは、諸感覚を総合して環境をとらえる。そして、複数の効果器官で総合的に反応する。ヒトは、発話だけでなく、表情・まなざし・身振り・手振りも使って、意図を表現する。機械がそういうヒトとパートナーであるには、少なくとも耳と目を持たなければならない。機械は、ヒトの身体をインターフェイスにする。
そのメリットは、何重にもある。

- 眼と手だけのいびつなヒト機械間の関係を克服し、認知負荷を小さくできる。
- 機械が、ヒトの意図をより正確にとらえられる。
- アプリが、ヒトを囲む環境を把握できる。音響言語は、誰が、いつ、どこでなどが明示的・直接的である（p.82『図：音響言語と文字言語』を参照）。アプリはそれらを制約として利用できる。さらに、ヒトの環境を把握できるので、外在する豊かな世界を制約として利用できるようになる（p.126『図：音声アプリの利用できる諸制約』を参照）。制約は、アプリの動きのコンテキストとなる。豊かなコンテキストがあると、アプリの動きがヒトにとって単純で分かりやすい。

身体能力を引き出す

第３章❷で見たように、現在のヒトと機械のインターフェイスは、ヒトの身体能力の多くを活用していない。手の豊かな器用さは、そこでほとんど生かされていない。注目行動は、ヒトの意図の解釈にとって大きなヒントになるが、もったいなくも放置されている。視覚の遠隔作用や3D機能は、利用されていない、などなど。ヒトの身体と脳神経は、生物の長い進化の結果である。それらを生かすことは、まだよく開拓されていないといっていい。

3 デザインを変える

必要な技術はある

このような、意図レベルの会話関係、視聴覚融合、身体全体をインターフェイスにするには、ハイテクやインフラ投資が必要だろうか？　いや、多くの便利なユースケースは、今ある技術ですぐに実現できる。

以下のような技術が利用できる。

●**ハードウェア**

スマホ、モニター付きスマート・スピーカー、サービスロボット、会話ロボットあるいはAIロボットと呼ばれるロボットなど。これらは、たいてい目（カメラ）と耳（マイク）と口（スピーカー）を持つ。ヒトと機械が会話をするための、ハードウェアのパーツはそろっている。

●**ソフトウェア**

音声認識と言語理解：知的な機械は、ヒトの声を聴き、言葉を理解し、ヒトと変わらないかのように文を生成できる。

視線・ジェスチャー認識：コンピュータ・ビジョンで、視線を追跡したり、ジェスチャーを認識できる。

マルチ・モーダルAI：深層学習で、複数の情報ソースを統合して判断できる。

強化学習：ヒトの意図に応じた行動やヒトと付き合う方法を学習することができる。

このように、まず必要な技術はすでにある。

問題はむしろ、システムやアプリをデザインするときの考え方である。デザインの考え方を変えるだけで、快適なアプリになる。今すぐに変化を起こせるのである。

デザインの考え方

以下のようなデザインにするべきである。

- GUIは、視覚を過度に使い、内部の抽象的な概念を利用者に押し付けている。複雑さは隠し、ヒトと機械とは意図レベルでやり取りする。
- 意図を素直に表現できる、音声のやり取りを利用する。ただし、視覚や手も併用した視聴覚融合インターフェイスにする。
- 視覚・音声やコンテキストによる手掛かり（プロンプト）と、制約（画面遷移と次のプロンプト）提示で、追加の情報を聞き取り、意図を詳細化する。会話のようにやりとりする。
- カメラとマイクなどで利用者の目振り、身振り、手振りなど、また環境を検知する。それら豊かな制約を、アプリの処理のコンテキストとして利用する。

ヒトが道具に合わせる時代から、道具がヒトに合わせる時代へ

エリートの知能拡大の道具とその延長の時代は、ヒトがコンピュータに合わせていた。今は、ユーザー層と用途が広がり、限界にきている。多くのIT技術者が、インターフェイスの現状はおかしいと気づくであろう。これからは、知的な機械がヒトに合わせるように変わるべきだ。

作り手視点から使い手視点へ

本文書では、現状を批判し変化を主張してきた。それらは、一言でいえば「作り手視点から使い手視点へ」ということである。コンピュータ特有の抽象概念も、GUIの複雑な構築も、作り手の都合である。まず使い手が何をしたいかという意図から始めるべきだ。

ユーザー・インターフェイスは後付けできるものではない。機械でヒトの能力を拡張するアプローチでもいい。ヒトの外界の現実とサイバー空間を融合させようとするアプローチもいい。スマートXXXで、全く新しい便益と環境の世界を開発するのもいい。しかし、どんな技術も、ヒトとのインターフェイスからデザインしなければ使えない。まずは、使い手視点に立つということが一丁目一番地だ。

機械との共生

視覚は、生物の進化を揺るがした。音響言語は、ヒトが社会的知能をもつようにした。いま、知的な機械は、視覚を持ち、言語を操る。さらに機械は、ヒトより桁違いの記憶容量を持てる。その上で、ヒトと似たような学習ができる。ヒトと機械の関係は、これから大きく変わるだろう。

エリートの知能拡張の道具は、武骨な箱だった。一方、ヒトと会話をするパートナーならば、知的な機械はヒト型ロボットがいい。ヒトは、ヒトの表情に対し、特殊な認知をし、情動的にも強く反応する。表情を持つヒト型ロボットならば、ヒトは埋没的な深い関係を持ちうる。1960年代の著名なSF宇宙旅行映画・小説に出てくる人工知能には、赤く光るカメラ・アイ以外の姿がない。不気味である。ストーリー的にも、ヒトと騙しあったりする。一方1970年代に始まりシリーズ化されたSF宇宙戦争映画の２体のアシスタントロボットは、ヒトの形をしている。ヒトのそばについて動いてくれる。親しみやすい。

ヒトの脳には可塑性がある。ヒトは、社会的動物で社会的関係の中で脳内のいろんな神経をつなぐ。ヒトと会話をし生活する知的な機械は、パートナーである。そういうパートナーが社会的知能の一員であれば、ヒトはどう変わるのだろうか？　その可能性に、ワクワクする。

参考文献

Bush Vannevar. (1945). 考えてみるに As We May Think. 参照先: https://cruel.org/other/aswemaythink/aswemaythink.pdf

D.A.ノーマン. (1990). 誰のためのデザイン？（The Psychology of Everyday Things）. 新曜社認知科学選書.

Karn K. Jacob and Keith S.J. (2003). Eye Tracking in Human-Computer Interaction and Usability Research; Ready to Deliver the Promises

Mother of All Demos (1968). [映画]. 参照先: https://www.youtube.com/watch?v=B6rKUf9DWRI

Wickens D. Christopher. (2002). Multiple resources and performance prediction.

クリストファー・ロイド. (2012). 137億年の物語 (What On Earth Happened?). 文藝春秋.

スーザン・ワインチェンク. (2012). インターフェイスデザインの心理学―ウェブやアプリに新たな視点をもたらす100の指針. O'REILLY.

ポール・ナース. (2021). WHAT IS LIFE? 生命とは何か. ダイヤモンド社.

マイケル・コーバリス、TED-Ed (監督). (日付不明). 進化の大いなる謎:言語 [映画]. 参照先: https://www.ted.com/talks/michael_corballis_evolution_s_great_mystery_language/transcript?language=ja

ユヴァル・ノア・ハラリ. (2016). サピエンス全史. 河出書房新社.

下条誠. (2002). 皮膚感覚の情報処理. 計測と制御、第41巻、第10号.

加藤宏. (2017).「視覚は人間の情報入力の80%」説の来し方と行方. 筑波技術大学テクノレポート Vol.25 (1).

岩堀修明（いわほり　のぶはる）. (2011). 図解・感覚器の進化 原始動物からヒトへ水中から陸上へ. 講談社.

橘木修志. (2019). 視細胞. 参照先: 脳科学辞典: https://bsd.neuroinf.jp/wiki/%E8%A6%96%E7%B4%B0%E8%83%9E

近藤則子. (2011). 高齢者はICTの何に困っているの？ 参照先: https://www.soumu.go.jp/main_content/000115449.pdf

香田啓貴（こうだ　ひろき）. (2020). サルの発声から見るヒトの言語の起源. 参照先: https://www.brh.co.jp/publication/journal/102/rp/research01/

香田啓貴. (2015). 霊長類の音声の運動基盤及び多様性とその進化的な背景. 日本音響学会誌71巻7号.

鮫島和行. (2019). ヒトと動物のインタラクション研究. バイオメカニズム学会誌 Vol.43、No3.

三上章允（みかみ　あきちか）. (日付不明). 脳の神経細胞の数. 参照先: http://web2.chubu-gu.ac.jp/web_labo/mikami/brain/10/index-10.html

三谷宏治. (2015年5月15日). ヒトとは視覚を発達させ、嗅覚を退化させた「か弱きサル」である. 参照先: https://www.careerinq.com/blog/mitani/2015/05/post-6.shtml

上北朋子. (2018). 空間記憶. 参照先: 脳科学辞典: https://bsd.neuroinf.jp/wiki/%E7%A9%BA%E9%96%93%E8%A8%98%E6%86%B6

杉江昇、大西昇. (2001). 生体情報処理. 昭晃堂.

西村剛. (2010). 霊長類の音声器官の比較発達ー言葉の系統発生. The Japanese Journal of Animal Psychology, 60, 1 49-58.

石井裕. (1997年8月). Tangible Bits: サイバースペースと人間との物理的な接点. 参照先: https://www.rm2c.ise.ritsumei.ac.jp/tamura/maindoc/ishii.html

石黒浩. (2022年7月27日). 人とロボットが織りなす未来の社会とは　大阪大学教授 石黒浩氏が描く進化の姿. (長沢正博, インタビュー質問者) 参照先: https://monoist.itmedia.co.jp/mn/articles/2207/28/news027.html

蔵田潔、渡辺雅彦. (2021). 大脳皮質. 参照先: https://bsd.neuroinf.jp/wiki/%E5%A4%A7%E8%84%B3%E7%9A%AE%E8%B3%AA

東原和成（とうはら　かずしげ）. (日付不明). 嗅覚の匂い受容メカニズム. 2015.

箱田裕司、都築誉史、川畑秀明、萩原滋. (2010). 認知心理学. 有斐閣.

樋渡涓二（ひわたり　けんじ）. (1977). 視覚と聴覚はどうちがうか. テレビジョン 第31巻第11号.

福田忠彦. (1995). 生体情報システム論. 産業図書.

米満弘之. (1973). 指の機能. 精密機械、40巻1号. 参照先: https://www.jstage.jst.go.jp/article/jjspe1933/40/468/40_468_18/_pdf

野口悠紀雄. (2022).「超」書く技術. プレジデント社.

養老孟司. (1998). 唯脳論. ちくま学芸文庫.

宮津寿美香. (2018).「発達に伴う『指さし行動』の質的変化」保育学研究. 第56巻第2号.

〈著者紹介〉
佐藤 良治 （さとう よしはる）
1956年、山形県生まれ。東京大学文学部卒業、哲学専攻。DEC、（株）AI言語研究所、マイクロソフトなどに勤務。MSIMEなど日本語自然言語処理の研究開発をリードし、そのインターフェイスが目と手を酷使することに疑問を持つ。その後、独立。現在、ITで青少年教育とシニア支援をする中、高齢化社会での現ITの限界と諸課題を検証した。それを踏まえ、認知負荷のないヒト・機械の関係に取り組んでいる。著書『何を作るか』。

操作(そうさ)から会話(かいわ)へ
—これからのヒトと機械(きかい)のインターフェイス—

2023年5月31日　第1刷発行

著　者　　佐藤良治
発行人　　久保田貴幸

発行元　　株式会社 幻冬舎メディアコンサルティング
〒151-0051　東京都渋谷区千駄ヶ谷4-9-7
電話　03-5411-6440（編集）

発売元　　株式会社 幻冬舎
〒151-0051　東京都渋谷区千駄ヶ谷4-9-7
電話　03-5411-6222（営業）

印刷・製本　中央精版印刷株式会社
装　丁　　土本夏海子

ISBN 978-4-344-94398-8 C0004
幻冬舎メディアコンサルティングＨＰ
https://www.gentosha-mc.com/